La boussole
du Club des Cinq

Enid Blyton™

La boussole du Club des Cinq

Illustrations
Frédéric Rébéna

hachette
JEUNESSE

Claude

11 ans.
Leur cousine. Avec son fidèle chien
Dagobert, elle est de toutes
les aventures.
En vrai garçon manqué,
elle est imbattable dans tous
les sports et elle ne pleure
jamais… ou presque !

François

12 ans
L'aîné des enfants,
le plus raisonnable aussi.
Grâce à son redoutable sens
de l'orientation, il peut explorer
n'importe quel souterrain sans jamais se perdre !

Mick

11 ans comme Claude.
C'est un casse-cou (un gourmand aussi !)
qui n'hésite jamais avant de se lancer
dans les plus périlleuses aventures...

Annie

10 ans
La plus jeune, un peu gaffeuse,
un peu froussarde !
Mais elle finit toujours par
participer aux enquêtes,
même quand il faut affronter
de dangereux malfaiteurs...

Dagobert

Sans lui, le Club des Cinq ne serait rien !
C'est un compagnon hors pair, qui peut monter
la garde et effrayer les bandits.
Mais surtout c'est le plus attachant des chiens...

L'ÉDITION ORIGINALE DE CET OUVRAGE A PARU EN LANGUE ANGLAISE CHEZ
HODDER & STOUGHTON, LONDRES, SOUS LE TITRE :

FIVE GO TO DEMON'S ROCKS

© Hodder & Stoughton, 1961
© Hachette Livre, 1963, 1989, 1999, 2009 pour la présente édition.
Traduction revue par Rosalind Elland-Goldsmith.

chapitre 1

Un drôle de trio

— Cécile ! appelle M. Dorsel, qui monte l'escalier quatre à quatre, une lettre à la main. Cécile, où es-tu ?

Mme Dorsel sort d'une chambre, un plumeau à la main.

— Ici ! répond-elle. J'aide Sylvie à faire le ménage. Qu'est-ce qu'il y a ?

— Je viens de recevoir une lettre de mon ami, le professeur Lagarde. Tu te souviens de lui ?

— Oh ! ça oui ! Quand il est venu passer quelques jours ici, il y a deux ans, il s'est montré assez désagréable pour que je ne l'oublie pas... Toujours en retard à table, toujours plongé dans ses calculs...

— Écoute-moi sans te fâcher, réagit son mari.

7

Mon ami Hervé Lagarde doit venir travailler avec moi. Il compte rester environ une semaine.

— Hein ? Et quand arrive-t-il ? demande Mme Dorsel, d'un air accablé.

— Euh… ce matin.

— Oh, non ! Tu sais bien que Claude revient *aujourd'hui* avec ses trois cousins !

— Vraiment ? J'avais oublié... Comment faire ? Tu ne veux pas téléphoner à Claude et lui demander de prolonger son séjour avec François, Mick et Annie ? On ne peut pas héberger à la fois le Club des Cinq et le professeur Lagarde. Comprends-moi, Cécile : mon collègue veut me présenter sa dernière découverte scientifique. Il faut qu'on soit complètement tranquilles. S'il te plaît, ne fais pas cette tête-là ! Tu connais l'importance de nos expériences.

— Oui. Mais c'est très important aussi de ne pas gâcher les vacances des enfants, réplique Cécile Dorsel, catégorique. Claude est partie chez ses cousins parce que tu avais un travail urgent à terminer, et que tu ne voulais pas être dérangé. Il était convenu que le Club des Cinq reviendrait ici aujourd'hui. Appelle Hervé et explique-lui la situation. On ne peut pas le recevoir pour l'instant. Point final !

— Combien de temps restent les enfants ?

— Une semaine. Si tu peux retarder l'arrivée de ton ami, on l'accueillera dans huit jours.

Henri Dorsel prend un air résigné.

— Bon, dit-il. Je vais essayer de lui faire comprendre cela.

Il s'enferme dans son bureau pour téléphoner. Son épouse se retourne vers Sylvie. Toutes deux préparent les chambres de Claude Dorsel et de ses trois cousins.

— Annie partagera la chambre de Claude, comme d'habitude, décide Cécile Dorsel. Les deux garçons dans la chambre d'amis.

— Je serai bien contente de les revoir ! déclare la cuisinière, tout en secouant une housse de couette. J'ai préparé une belle tarte qui cuit en ce moment. D'ailleurs, il faut que j'aille y jeter un coup d'œil.

À peine Sylvie a-t-elle regagné la cuisine que la voix de M. Dorsel retentit de nouveau :

— Cécile ! Cécile !

— Je viens !

Elle descend l'escalier et pénètre dans le bureau de son mari. Celui-ci arpente nerveusement la pièce.

— Hervé Lagarde est déjà en route pour Kernach, explique-t-il. En plus, son fils l'accompagne ! Depuis que sa femme est décédée, il ne se sépare jamais de cet enfant.

— Mais on n'a pas la place pour les loger, avec Claude et ses cousins ! proteste Cécile Dorsel. Tu le sais aussi bien que moi, Henri !

— Alors, téléphone à Claude et dis-lui de rester à la montagne une semaine de plus !

— Impossible, le chalet est en travaux à partir

9

d'aujourd'hui, réplique Mme Dorsel. Les enfants devaient finir les vacances chez nous. Tu bouscules tous les plans ! Enfin, je vais appeler Claude pour savoir si elle a une idée...

Elle compose le numéro. La sonnerie retentit dans son oreille, mais personne ne répond. Elle raccroche et pousse un gros soupir. À tous les coups, le Club des Cinq est en route pour Kernach, ainsi que le professeur Lagarde et son fils. Personne ne peut les empêcher de débarquer tous ensemble à la *Villa des Mouettes*...

Cécile Dorsel se dirige vers le bureau de son mari.

— Henri, déclare-t-elle, Claude et ses cousins sont déjà partis. Je ne sais pas comment je vais faire pour loger tout le monde ! Je devrais t'obliger à dormir sur un lit de camp dans la cave, pour t'apprendre à me mettre dans des situations pareilles !

Son époux juge prudent de se réfugier derrière ses volumineux dossiers.

— Euh... j'ai du travail, dit-il. Je dois mettre des papiers en ordre avant l'arrivée de mon ami. Je compte sur toi pour que la maison soit très calme le temps qu'Hervé sera chez nous. Il n'est pas vraiment patient et...

— Henri, c'est moi qui commence à perdre patience ! coupe Cécile Dorsel. Comment veux-tu qu'une joyeuse bande d'enfants reste silencieuse ?

Tu te rends compte qu'ils sont en vacances ? Je te préviens que...

Elle s'arrête au milieu de sa phrase, et ouvre des yeux stupéfaits. De la main, elle désigne la fenêtre du bureau.

— Regarde ! lance-t-elle. Qu'est-ce que c'est que ça ?

Son mari se retourne et reste, lui aussi, figé d'étonnement.

— Mais... On dirait un singe ! Je me demande d'où il peut bien venir. Il y a un cirque à Kernach ?

Sylvie, du bas de l'escalier, crie :

— Un taxi vient de s'arrêter devant la maison. Il y a un monsieur et un petit garçon !

Cécile Dorsel ne peut détacher son regard du singe, qui gratte maintenant à la fenêtre et presse son nez contre le carreau.

— Cet animal appartiendrait à Hervé ? marmonne-t-elle.

Le singe disparaît soudain. On entend la porte d'entrée de la maison claquer. Cécile Dorsel va à la rencontre de leurs visiteurs.

Oui, il s'agit bien du professeur Lagarde ! À ses côtés se tient un garçon d'une dizaine d'années, avec des cheveux ébouriffés et un petit visage qui rappelle beaucoup celui du singe maintenant perché sur son épaule.

Le professeur s'avance, tout en parlant au chauffeur qui sort deux valises du coffre :

11

— Laissez les bagages ici, merci... Bonjour, Cécile. Ravi de te voir ! Où est ton mari ? J'ai des découvertes scientifiques très intéressantes à lui communiquer. Ah ! Henri, te voilà !

— Bonjour, lance ce dernier avec un large sourire. Je suis bien content que tu puisses venir passer quelques jours avec moi.

— Je te présente mon fils, Pilou, poursuit le savant, en poussant devant lui le jeune garçon.

— Bonjour... heu... Pilou, bégaie M. Dorsel. Dis donc, tu as un drôle de prénom !

— Tu trouves ? intervient Hervé Lagarde. Pilou est un diminutif. C'est un surnom pour Pierre-Louis. Ça fait plus gai, non ? On s'est permis d'amener son animal préféré. Ils ne voulaient pas se quitter. Berlingot ! Où es-tu ? Il était là à l'instant !

La pauvre Cécile Dorsel, consternée, reste sans voix. Le professeur avance dans l'entrée, tout en causant, très à l'aise. Quant au singe, il examine les lieux avec curiosité, perché sur une porte ouverte.

« Ça promet ! pense la maîtresse de maison. Les chambres ne sont pas prêtes, le repas non plus... Et les enfants qui vont arriver... Oh ! ce singe qui grimace, je sens que je ne vais pas le supporter longtemps ! »

Puis, chacun prend place au salon. Henri Dorsel, qui a hâte de parler au professeur de ses travaux scientifiques, prend déjà une feuille de papier et la pose sur la table.

— Non, pas ici, Henri, proteste son épouse. Tu travailleras dans ton bureau !

Puis elle se tourne vers le jeune garçon.

— Ça ne te dérange pas de coucher sur le canapé ? Il n'y a pas de place ailleurs...

— Qu'est-ce qu'on fait du singe ? questionne Sylvie, qui considère l'animal d'un œil méfiant.

— Berlingot dormira sur mon lit, comme d'habitude, déclare Pilou d'une grosse voix, surprenante pour son âge.

Là-dessus, il quitte la pièce et se précipite dans l'escalier, en imitant, avec sa bouche et sa gorge, un vrombissement de moteur... M. et Mme Dorsel se regardent avec inquiétude.

— Rassurez-vous, intervient le professeur Lagarde. Il joue à la moto. C'est sa nouvelle manie...

— Je suis une Harley Davidson ! crie son fils, du haut de l'escalier. Vous entendez mon moteur ? R-r-rr-r ! Berlingot, viens faire un tour en moto !

Le petit singe s'empresse de répondre à cet appel et s'installe sur l'épaule de son jeune maître. Alors, la « Harley » fait le tour de toutes les chambres ; le vrombissement s'arrête de temps en temps pour laisser entendre le son d'un klaxon...

M. Dorsel regarde son ami d'un air étonné et lui demande :

— Ça le prend souvent ?

— Parfois...

— Ah ! Et dans ces moments-là, comment fais-tu pour travailler ?

— J'ai un bureau bien isolé, au fond de mon jardin, avoue le professeur.

— Malheureusement, le mien est dans la maison. Et il n'est pas insonorisé !

En haut, Pilou continue de faire un vacarme infernal. Quel gamin terrible ! Comment peut-on le supporter plus de deux minutes ? M. Dorsel n'ose pas imaginer ce que seront les prochains jours...

Il fait entrer le professeur Lagarde dans son bureau. La porte se referme sur eux. Le bruit du faux motard leur parvient encore...

Mme Dorsel, les sourcils froncés, scrute les valises des visiteurs.

« Ils auraient mieux fait de descendre à l'hôtel de Kernach ! se dit-elle, irritée. Comment va-t-on cohabiter à la *Villa des Mouettes* avec le Club des Cinq, le professeur Lagarde et un garçon insupportable ? Sans parler d'un singe nommé Berlingot ! Mais surtout, où vont-ils tous dormir ? »

chapitre 2

Le retour du Club des Cinq

Pendant ce temps, Claude et ses cousins se rapprochent de la *Villa des Mouettes*. En sortant du train, ils ont loué des vélos et les voilà qui arrivent à grands coups de pédales. Dagobert, le chien de Claude, bondit joyeusement derrière eux.

— Enfin, on va retrouver notre joli village de Kernach, se réjouit Annie. J'adore ta maison, Claude ! C'est tellement agréable, le matin, en se réveillant, de pouvoir contempler la mer ! Elle est là, presque sous nos fenêtres ! Et puis, il y a ton île dans la baie, où on pourra pique-niquer s'il fait beau !

— Moi aussi, les *Mouettes* me plaisent bien, confirme Mick, enthousiaste. Sylvie nous fait des bons plats et de délicieux gâteaux ! Et puis, ta mère

15

est si gentille, Claude ! Dommage que notre oncle ne supporte pas le bruit.

— Cette fois, je pense qu'il nous laissera nous amuser, car il doit avoir terminé ses travaux les plus importants, tempère sa cousine. C'est bête que vous ne restiez qu'une semaine !

— C'est déjà bien, intervient François. Eh, voilà la baie de Kernach, plus bleue que jamais !

Ils se sentent tout émus de revoir ce sublime coin de Bretagne, où ils ont passé ensemble tant de bonnes vacances.

— Tu en as, de la chance, Claude, de posséder cette jolie petite île qui brille là-bas au soleil ! s'émerveille Annie.

— C'est vrai, répond l'adolescente. Je n'ai jamais été aussi heureuse que le jour où maman me l'a donnée ! Elle appartenait à notre famille depuis très longtemps, et maintenant elle est à moi ! On ira là-bas demain, si vous voulez.

— Ça y est, je vois le toit de la *Villa des Mouettes* ! annonce François, qui est en tête du peloton. Je sens déjà une bonne odeur ! Notre déjeuner est en train de cuire, et peut-être aussi... devinez quoi ?

— Une tarte ! s'écrie Mick.

Tout le monde rit. Les plus gourmands sentent soudain leurs estomacs gargouiller.

Ils pénètrent dans le jardin. Quand leurs vélos sont rangés contre le grillage, Claude gonfle ses poumons et crie bien fort :

— Maman ! On est arrivés !

Soudain, Annie s'accroche à son bras.

— Claude, lui dit-elle, qu'est-ce que c'est que ça ? Regarde ! À la fenêtre, là !

Tout le monde se tourne vers l'endroit désigné. Mick constate, ébahi :

— Mais... C'est un singe !

Dagobert a vu, lui aussi, l'étrange museau noir écrasé contre la vitre. Il part comme une flèche en direction de la porte d'entrée. Claude le rappelle, en vain. Dago *veut* faire son enquête ! S'agit-il d'un petit chien ? Ou d'une nouvelle race de chat ? Quoi qu'il en soit, cette tête-là ne lui revient pas du tout ! Il se met à aboyer de sa plus grosse voix, fonce dans l'entrée et manque de renverser un garçon qui se trouve sur son passage. Le singe, terrifié, saute en-haut d'une armoire !

— Laisse mon singe tranquille, espèce de grosse brute ! hurle une voix furieuse.

Par la porte ouverte, Claude voit Pilou donner une tape à Dagobert. Aussitôt elle se précipite sur le jeune inconnu et, l'agrippant par les épaules, le secoue comme un prunier.

— Qu'est-ce que tu fais ici, toi ? De quel droit tu frappes mon chien ? Tu as de la chance qu'il ne t'ait pas mordu !

Enfin, elle lâche Pilou, se tourne vers Berlingot et ajoute :

— D'où sort cet animal ?

— Il est à moi, pleurniche le fils du professeur Lagarde.

Le petit singe, tout tremblant, se cache comme il peut en haut de l'armoire, et proteste avec véhémence, dans son langage.

François, Mick et Annie arrivent en même temps que Sylvie, alertée par le bruit.

— Que se passe-t-il ? demande-t-elle. Claude, tu sais bien que ton père va sortir de son bureau d'une seconde à l'autre... Il va encore se fâcher... Dagobert, tais-toi ! Oh ! Tu pleures, Pilou ? Sèche tes larmes et emmène vite ton singe ailleurs, sinon Dagobert va l'avaler tout cru !

— Je ne pleure pas ! proteste Pilou rageusement, en se frottant les yeux. Viens, Berlingot. Si ce chien veut te faire du mal, je le... je le...

Dans son indignation, il ne trouve plus ses mots.

— Écoute le conseil de Sylvie. Prends ton singe et va le mettre à l'abri, suggère gentiment François.

Le fils du professeur Lagarde siffle ; aussitôt le singe se laisse tomber sur l'épaule de son maître, et lui passe les bras autour du cou. Il gémit doucement.

— Pauvre petit, il pleure, lui aussi, constate Annie, tout émue. Je ne savais pas que les singes pouvaient pleurer. Dagobert, s'il te plaît, arrête d'aboyer. Ce n'est pas bien de faire peur à des animaux plus faibles que toi !

— Oh, ça va, hein ! s'interpose Claude, en fronçant les sourcils. Il a des excuses, non ? Que veux-tu qu'il fasse quand il trouve, chez lui, un singe et un garçon inconnu ? Et d'ailleurs, tu es qui, toi ? questionne-t-elle en se tournant vers Pilou.

— Je ne te le dirai pas, déclare celui-ci fièrement.

Il sort de la chambre avec son singe sur l'épaule.

— C'est qui ? demande François à Sylvie.

— Je savais bien que ça ne vous plairait pas, répond la cuisinière avec un petit sourire. Le professeur Lagarde est arrivé ce matin avec son fils...

— Le professeur Lagarde ! s'exclame Claude. Personne ne nous a prévenus que...

— Il a écrit à ton père qu'il voulait le voir tout de suite.

— Ils repartent quand ?

— Il paraît qu'ils doivent rester une semaine, répond Sylvie.

— Quoi ? *Une semaine !* Le professeur Lagarde, son fils et son *singe* ! Et maman a accepté ? C'est une trahison !

— Eh, Claude, calme-toi, intervient François. Laisse Sylvie continuer.

— Eh bien, ils sont arrivés avant qu'on ait le temps de les prévenir qu'il n'y avait pas de place ici pour les loger, explique la cuisinière. En ce moment, ton père est enfermé dans son bureau avec le professeur. Ils sont déjà plongés dans leurs chiffres et se moquent bien du reste ! Pendant ce temps-là, ta

19

mère et moi, on se casse la tête pour essayer de caser tout le monde...

— Alors ? Comment on va faire pour tous tenir à la *Villa des Mouettes* ? demande Claude.

— Le professeur, son fils et le singe vont partager la chambre d'amis.

— Mais... C'est là que François et Mick doivent coucher ! objecte Claude, de plus en plus agitée. Je vais aller voir maman et lui dire que c'est impossible...

— Ne t'énerve pas, Claude, réfléchissons ensemble, tempère François. Il y a peut-être un moyen d'arranger les choses. Dommage qu'on ne puisse pas retourner chez nous ! La maison est en travaux depuis ce matin.

— Je ne vois qu'un endroit pour vous, les garçons : c'est le grenier, dit Sylvie. Malheureusement, il est poussiéreux et plein de courants d'air. Si vous voulez bien y coucher, je mettrai deux matelas là-haut.

— Bon, d'accord... soupire François, résigné. On s'installera dans le grenier. Qu'en pense tante Cécile ?

— Elle est très ennuyée, forcément. Comme d'habitude, elle voudrait faire plaisir à tout le monde. Ce Lagarde, quel drôle de type quand même ! Il débarque ici comme si c'était chez lui, avec son gamin et... ce Berlingot ! Enfin, si vous voulez mon avis, c'est le singe, le plus sympathique des trois !

20

La mère de Claude arrive en courant.

— Bonjour, mes chéris ! lance-t-elle, souriante. J'ai entendu Dagobert aboyer. Ce cher Dago... Je me demande comment il réagira quand il verra le singe du professeur...

— Il a déjà réagi, réplique sa fille. Maman, je ne comprends pas comment tu as pu laisser ces gens s'installer chez nous, alors que tu nous attendais ?

— Arrête, Claude, l'interrompt François, peiné de voir le doux visage de sa tante s'assombrir en entendant ces reproches. Tante Cécile, ne t'inquiète pas, on t'aidera. On fera les courses, on ira pique-niquer sur l'île de Kernach, on restera dehors autant que possible...

— Tu es gentil, François. C'est vrai, nous nous trouvons tous dans une situation difficile. Il n'y a pas assez de place. Et puis, le professeur Lagarde n'est pas un hôte ordinaire. Il ne se soucie jamais de l'heure des repas, ce qui est vraiment désagréable. Enfin, que voulez-vous, c'est un savant...

Il y a un silence.

— On dormira dans le grenier, annonce François. Ce sera amusant. Et chacun de nous se rendra utile.

Dagobert s'approche de la porte entrouverte et se met à aboyer. Il vient de reconnaître l'odeur du singe. En effet, celui-ci se balance sur la rampe de l'escalier en babillant.

« Qu'est-ce qu'il peut bien dire ? semble se

21

demander Dagobert. Est-ce possible qu'il se... moque de moi ? »

Le singe, en voyant le chien, se met à sautiller sur la rampe ; il paraît ricaner. Alors, le fidèle compagnon des Cinq n'y tient plus. Il fonce tête baissée dans l'escalier, en aboyant de toutes ses forces !

La porte du bureau s'ouvre d'un coup et livre passage non pas à un seul, mais à deux savants furibonds.

— Qu'est-ce qui se passe ? On ne peut pas être tranquilles un instant ? vocifèrent-ils ensemble.

— Ne vous fâchez pas, s'empresse de répondre la mère de Claude. Notre chien n'est pas encore habitué au singe de Pilou. Retournez dans le bureau, s'il vous plaît. Je vous promets que vous ne serez plus dérangés.

— Ouah ! ouah ! fait Dagobert de sa plus grosse voix en fixant sur Hervé Lagarde un œil peu rassurant.

Le professeur disparaît aussitôt dans les profondeurs du bureau.

— Si Dagobert recommence à s'en prendre à mon ami, je le chasserai de cette maison ! menace M. Dorsel, avant de disparaître à son tour.

— Hein ? hurle Claude, rouge de colère. Maman, regarde, le singe est maintenant sur l'horloge. C'est cette sale bête qu'il faut renvoyer d'ici, pas notre brave Dagobert !

chapitre 3

Le chien et le singe

François et Mick se mettent au travail. Ils transportent deux matelas et des couvertures dans le grenier. On y sent un petit courant d'air très désagréable, mais que faire ? Il fait trop frais pour dormir dehors, sous une tente.

Claude râle toujours.

— Calme-toi, lui dit Mick, tu vois bien que ta mère est encore plus ennuyée que nous. Elle voudrait bien pouvoir nous loger dans de meilleures conditions. Mais maintenant, il faut accepter cette situation.

Désormais, Sylvie ne sort plus de sa cuisine, car elle doit préparer des repas pour neuf personnes, dont cinq enfants toujours affamés ! Les enfants aident leur tante Cécile à faire le ménage. Ils vont au village à vélo chaque matin pour acheter des provisions.

Deux jours après leur arrivée, Claude demande :

— Pourquoi Pilou ne nous aide pas ? Il ne pense qu'à courir dans le jardin en faisant un bruit insupportable.

Elle se penche par la fenêtre de la cuisine et crie :

— Hé ! Pilou ! Tais-toi un peu ! Tu empêches nos pères de travailler.

— Toi-même ! répond l'autre, avec insolence. Je suis une Cadillac ! Tu as vu mes freins ? Pas de secousses ! Et le klaxon ?

Il fait un retentissant « *bip ! bip !* ». Alors, la fenêtre du bureau s'ouvre d'un coup, et le professeur Lagarde l'interpelle vivement :

— Pilou ! Tu as fini, oui ? Tu vas enfin te tenir tranquille ?

Le garçon tente d'expliquer qu'il est une Cadillac, mais comme son père et M. Dorsel donnent des signes d'impatience grandissante, il propose de devenir plus modestement une petite voiture citadine.

Cette transformation n'intéresse aucunement les savants, qui referment rageusement la fenêtre. Pilou ne paraît pas impressionné et reprend sa course en direction de la cuisine. Là, il déclare qu'il a faim.

— Les voitures ne mangent pas de tartines, fait

remarquer Sylvie. Va voir le pompiste, il te donnera de l'essence !

La petite citadine ressort piteusement de la cuisine, en marche arrière, et tente de se consoler en prenant son fidèle passager : Berlingot grimpe sur son épaule et se cramponne à sa tignasse désordonnée.

Pilou recommence à parcourir le jardin dans tous les sens, mais s'abstient cette fois de faire des bruits de moteur trop fort.

— Drôle de gamin ! dit Sylvie à Mme Dorsel, quand celle-ci vient la rejoindre. Ce n'est pas qu'il soit méchant, mais il est un peu bizarre. On dirait qu'il se prend vraiment pour une voiture !

Le lendemain, une pluie fine et tenace oblige les enfants à rester à la maison. Pilou, qui ne renonce pas à sa manie, agace tout le monde.

— Écoute, lui dit Sylvie, quand, pour la vingtième fois, il a traversé la cuisine. Je me moque que tu sois une Rolls, une Cadillac ou une vieille guimbarde toute rouillée. Tu vas me faire le plaisir de sortir d'ici ! Je t'interdis de remettre les pieds dans cette pièce. Compris ? J'en ai assez de toutes ces voitures qui chipent des gâteaux !

— Heu... Puisque je ne peux pas avoir d'essence, il faut bien que je mette quelque chose dans mon moteur... Regardez Berlingot ! Il est en train de vous piquer des pommes, et vous ne lui dites rien !

25

— Quoi ? Cette sale bête est encore en train de fouiller dans le buffet ? s'écrie la cuisinière.

Sylvie sort Berlingot du buffet sans ménagement, et lui fait lâcher les fruits.

— Dagobert ne ferait jamais une chose pareille, commente-t-elle. Il est honnête, lui. On ne peut pas en dire autant de ce singe !

— Vous ne l'aimez pas ? soupire Pilou, peiné. C'est dommage car lui, il vous aime bien !

Sylvie contemple le singe. Il est assis dans un coin, le museau caché dans ses pattes. Il paraît ainsi tout petit, et si triste que la jeune femme en est attendrie. Elle ne voit pas l'œil malicieux qui l'observe à travers deux doigts écartés...

— Petit chenapan ! dit-elle en souriant. Tu prends un air malheureux comme si je te faisais des misères, alors que c'est toi qui me tourmentes sans arrêt... Tiens, voilà un biscuit ! Et surtout, laisse Dagobert tranquille ce matin. Il est en colère contre toi, tu sais !

— Pourquoi ? interroge Pilou, inquiet.

— Berlingot lui a volé un os. Faire ça à un chien, c'est grave ! Si tu avais entendu le grondement de Dagobert, tu aurais eu peur ! J'ai cru qu'il allait mordre la queue de ton singe qui courait de toutes ses forces pour lui échapper...

Berlingot se rapproche de la cuisinière à tout petits pas. Évidemment, le biscuit qu'elle tient à la main le tente, mais il se méfie...

— Allez, mange ! Et ne fais pas cette tête-là, tu me fends le cœur ! dit Sylvie.

Alors, Berlingot s'empare du biscuit et veut se sauver. Mais la porte de la cuisine s'est refermée. Il s'arrête devant, et regarde Pilou d'une façon très expressive. Celui-ci obéit aussitôt à l'ordre muet de son singe. Il ouvre la porte. Qui passe alors son museau par l'entrebâillement ? Dagobert ! Celui-ci, attiré par l'odeur d'une bonne soupe, attend justement une occasion de pénétrer dans la cuisine.

Berlingot prend du recul. Il saute sur le dossier d'une chaise. Là, il se livre à une étonnante mimique ; de son gosier sortent des sons plaintifs, censés sans doute attendrir le chien et lui faire pardonner sa mauvaise plaisanterie. Dagobert le regarde d'un air surpris. Il dresse ses longues oreilles pour mieux l'écouter.

Le singe, qui tient toujours son biscuit dans sa petite main, saute à terre. Sylvie est ébahie quand elle le voit tendre le biscuit à Dagobert ! Le chien paraît hésiter un peu, puis il prend gentiment la galette, la lance en l'air, la rattrape et la croque avec un plaisir évident.

— Incroyable ! s'exclame la cuisinière, émerveillée. Il n'y a pas de doute : Berlingot a demandé pardon à Dagobert de lui avoir volé son os, et lui a offert sa friandise pour faire la paix. C'est Claude qui sera étonnée quand elle apprendra ça !

Dagobert se penche vers le singe et lui donne un petit coup de langue sur le nez.

— Dagobert remercie Berlingot, traduit Pilou, ravi. Maintenant, ils seront amis !

Sylvie n'en revient pas. Un singe assez malin pour offrir à Dagobert un biscuit dont il avait tellement envie lui-même ! Elle court raconter cet étonnant épisode à Claude.

Celle-ci ne veut pas la croire.

— Impossible ! Dago n'accepterait pas un biscuit de cette sale bête, dit-elle. Tu te fais des idées, Sylvie, parce que ce singe t'amuse.

L'adolescente, curieuse d'observer l'attitude des deux animaux, suit cependant la cuisinière. Un étrange spectacle l'attend en bas.

Berlingot est à cheval sur le dos de Dagobert, qui trotte autour de la cuisine. Le singe paraît enchanté, et Pilou, enthousiasmé, crie :

— Plus vite, Dagobert, plus vite ! Au galop !

— Je ne veux pas que Dagobert promène ton singe sur son dos, s'oppose Claude indignée. Dagobert, ce que tu as l'air idiot !

Le singe se penche en avant et prend le chien par le cou, puis se laisse glisser sur le sol. De ses petits yeux perçants, il regarde Claude pour lui dire : « Tu vois, je ne veux pas que ton chien ait l'air d'un idiot ! »

Dagobert comprend que sa maîtresse est fâchée. Il va se coucher tristement dans un coin. Alors, Berlingot le rejoint et s'installe entre ses pattes. Celui-ci penche sa grosse tête et se met à lécher son petit camarade.

La cuisinière en a les larmes aux yeux.

— Claude, tu ne devrais pas gronder ton chien. C'est tellement gentil de sa part de faire la paix avec un petit coquin qui lui a volé un os !

— Je ne le gronde pas, réplique Claude, un peu confuse.

Au fond, elle se sent fière de l'attitude de son protégé.

Elle va caresser la grosse tête aux poils rêches. Le chien pousse une sorte de soupir de soulagement, et lève vers elle ses beaux yeux expressifs : « Maintenant, on est tous amis », semble-t-il dire.

Pilou observe la scène avec intérêt. Il craint un peu Claude et ses colères. Lorsqu'il la voit caresser Dagobert – sans déranger son singe –, il est ravi. Dans sa joie, il lance un cri discordant, qui fait sursauter tout le monde.

— Assez, Pilou ! lancent quatre voix.

— Ouah ! fait Dagobert.

— Si tu continues, M. Dorsel va encore se mettre en colère ! Essaie plutôt de t'imaginer que tu es quelque chose de moins bruyant qu'une voiture... Un vélo, par exemple, propose Sylvie, conciliante.

— Très bonne idée, accepte Pilou.

Il prend son virage dans la cuisine et arrive dans l'entrée, en imitant à la perfection le crissement des pneus d'une bicyclette sur une route. Alors, inévitablement, la porte du bureau s'ouvre. Le professeur Lagarde sort en coup de vent et s'approche à grandes enjambées de son fils.

Pilou, paniqué, se met à hurler. Comme chacun le sait déjà, il ne manque pas de voix ! Cécile Dorsel, François, Mick et Annie, qui se trouvent au premier étage, dévalent l'escalier, très inquiets.

Sylvie, en sortant précipitamment de sa cuisine, heurte Henri Dorsel, qui vacille sous le choc. Claude, qui arrive derrière Sylvie, éclate de rire devant ce spectacle comique.

— C'en est trop ! s'écrie son père, rouge de colère. Ces gosses sont incapables de comprendre que nous faisons un travail qui intéressera bientôt le monde entier. Cécile, envoie les enfants où tu voudras ! Il faut que tu nous en débarrasses ! Nous ne pouvons pas les garder ici en ce moment ! Tu entends ? Qu'ils s'en aillent !

Là-dessus les deux savants regagnent leur bureau, en claquant la porte. François, Claude, Mick et Annie restent bouche bée. Que va devenir le Club des Cinq ?

chapitre 4

Pilou a une idée

En entendant les paroles de son mari, Cécile Dorsel pousse un profond soupir. Décidément, les savants ne sont pas toujours faciles à vivre ! Le visage blême de sa fille l'émeut.

— Allons au salon, dit-elle à la pauvre Claude bouleversée. Venez tous. Nous allons examiner ensemble la situation. Claude, tu sais que ton père fait des recherches extrêmement importantes. Il faut reconnaître que Pilou et Dagobert sont très bruyants, et que Berlingot n'arrange pas les choses... Oui, je sais que tu es toujours prête à défendre ton chien. Mais tu ne peux pas nier qu'il aboie très fort !

Elle fait entrer les cinq enfants et Dagobert dans le salon. Effrayé d'avoir entendu tant de cris, le singe a disparu. Personne ne sait où il se cache.

Cécile Dorsel appelle la cuisinière :

— Sylvie ! Venez aussi, vous pourrez nous être utile.

Ils s'asseyent tous, l'air grave. Dagobert se glisse sous la table, et pose son museau entre ses pattes.

« Où est donc ce petit singe qui m'a donné un biscuit ? » se demande-t-il.

C'est Claude qui ouvre la discussion. Elle parle avec colère :

— Maman, cette maison est à nous. Ce n'est pas juste qu'on soit obligés de partir parce que papa invite des amis à venir travailler avec lui. Des gens qui ne peuvent rien supporter...

— Claude, tu ne comprends pas toute l'importance des travaux de ton père, coupe Cécile Dorsel. Les savants ont une mission à remplir. Ne sois pas si nerveuse. Voyons ensemble ce que nous pouvons faire.

— Peut-être qu'on pourrait dresser des tentes sur l'île de Kernach ? suggère Mick. Tante Cécile, je sais ce que tu vas dire : on est seulement début avril, il fait encore trop froid et...

— Les prévisions météorologiques sont mauvaises, complète-t-elle. On annonce de la pluie, beaucoup de pluie... Vous ne pouvez pas aller camper sous un déluge. Dans quelques jours vous seriez tous au lit avec une bonne bronchite. Voilà qui n'arrangerait pas nos affaires !

— Alors, quelle solution reste-t-il ? demande Claude, découragée.

— On ne peut ni aller dans l'île de Kernach, ni retourner chez nos parents, ni rester ici, récapitule François. Où peut-on aller ? Les hôtels sont très chers. Et puis on ne connaît personne dans le coin qui voudrait nous accueillir tous les cinq, avec un singe et un gros chien !

Il y a un silence. Chacun réfléchit.

Soudain, Pilou prend la parole :

— Je sais où on pourrait aller, dit-il. Dans un endroit où on s'amuserait bien !

— Vraiment ? Où ça ? questionne Claude, incrédule.

— Dans mon phare ! lance triomphalement Pilou, à la surprise générale.

Comme chacun se tait et le regarde d'un air étonné, il reprend plus fort :

— Oui, vous avez bien entendu : dans mon phare ! Vous ne savez pas ce que c'est qu'un phare, ou quoi ?

— Ne fais pas le malin, dit Mick. Ce n'est pas le moment de plaisanter.

— Mais je ne plaisante pas ! Demandez à mon père...

— Voyons, mon petit Pilou, tu ne peux pas posséder un phare, coupe tante Cécile en souriant.

— Si ! Il y a quelques années, mon père, qui voulait s'isoler pour travailler, a acheté un vieux phare désaffecté. Papa m'a permis de venir passer quelques jours avec lui là-bas. C'était génial ! Quel vent ! Et quelles vagues !

— Alors, ce phare est à ton père, conclut François.

— Il est à moi, car Papa me l'a donné. Lui, il s'en est vite lassé, et moi, j'en avais tellement envie ! Il m'en a fait cadeau pour mes dix ans. Donc c'est bien *mon* phare.

— Quelle histoire ! s'exclame Annie. Claude possède une île et Pilou un phare ! Ah ! Si mes parents avaient eu l'idée de me faire un cadeau de ce genre ! J'aimerais assez un volcan. Ce serait encore plus incroyable !

Les yeux de Claude brillent en regardant Pilou.

— Où il est, ton phare ? demande-t-elle.

— Au cap des Tempêtes. Ce n'est pas tellement loin d'ici, vers l'ouest. Vous verrez, c'est un beau phare ! Allons tous là-bas ! On y restera jusqu'à ce que nos pères aient terminé leur travail. On emmènera Berlingot et le chien !

Cette proposition inattendue laisse tout le monde songeur. Puis, Claude se lève et envoie à Pilou une bourrade amicale.

— Ça me plaît ! décide-t-elle.

— Tu es d'accord, tante Cécile ? interroge Annie, moins impulsive.

— Laissez-moi le temps de réfléchir. C'est une idée vraiment originale. Il faut que j'en parle à votre oncle et à Hervé.

— Mon père dira oui, j'en suis sûr ! réagit Pilou. Tu en dis quoi, François ? Et toi, Mick ? On s'amuserait comme des fous !

Pas de doute, cette perspective séduit le Club des Cinq ! Dagobert lui-même semble suivre la conversation avec intérêt.

— J'ai une carte sur laquelle on peut voir où se trouve mon phare, poursuit Pilou, en fouillant dans ses poches. La voilà ! Elle est un peu froissée parce que je l'ai regardée bien souvent... Vous suivez la côte... Regardez, c'est là !

Tous se penchent avec intérêt sur la carte, malheureusement en très mauvais état. Mick considère leur nouvel ami avec envie. Un propriétaire de phare !

— De nombreux bateaux se sont brisés sur les rochers qui entourent ce phare, explique Pilou. Dans le coin, on parle encore des naufrageurs d'autrefois… Ils faisaient briller une lumière le long des rochers pour attirer les marins près des falaises et *CRAC !* la coque se fendait, l'équipage se noyait. Alors les naufrageurs attendaient que les débris du bateau soient ramenés sur la plage par la marée, puis ils volaient tout ce qui les intéressait !

— Les bandits ! s'exclame Annie, indignée.

— Il y a là-bas une grotte où les naufrageurs cachaient leur butin. Je ne l'ai pas explorée, parce qu'il paraît que des malfrats s'y réunissent parfois, encore aujourd'hui... Alors, vous comprenez, j'ai peur d'y aller !

Cécile Dorsel se met à rire.

— C'est sans doute une légende pour empêcher les enfants de se promener dans des cavernes plus

35

ou moins dangereuses, analyse-t-elle. Eh bien, mes chéris, je ne vois pas de raison de m'opposer à ce que vous alliez passer quelques jours chez Pilou, si Hervé et Henri sont d'accord !

— Merci, maman ! s'écrie Claude.

Elle embrasse vigoureusement sa mère.

— Vivre dans un phare ! C'est trop beau pour être vrai ! J'emporterai mes jumelles pour observer le mouvement des bateaux.

— N'oubliez pas d'emporter de la musique et un jeu de cartes, conseille tante Cécile. Si le temps est mauvais, ce ne sera peut-être pas drôle du tout ! Je me demande si vous comprenez bien ce qui vous attend...

— Mais oui ! assurent d'une seule voix les deux frères et Claude.

— Ce sera génial ! ajoute Pilou, qui, dans sa joie, s'apprête à faire une imitation de voiture de course. Mais à peine a-t-il ouvert la bouche que les autres lui tombent dessus et étouffent son vrombissement.

— Chut ! fait tante Cécile. Tu vas encore mettre ton père de mauvaise humeur, Pilou. Tiens-toi tranquille. Je lui parlerai dès que possible !

chapitre 5

Le phare de Pilou

Tante Cécile estime qu'il vaut mieux régler la question au plus tôt. Elle s'aventure du côté du bureau, pour voir si son mari et le professeur Lagarde peuvent lui consacrer un moment. Elle frappe à la porte.

Un murmure de voix lui parvient, mais personne ne dit : « Entrez ! » Elle frappe de nouveau.

— Quoi, encore ? s'écrie oncle Henri. Si c'est toi, Claude, laisse-nous tranquille ! Si c'est Pilou, qu'il aille au garage et qu'il y reste ! Il sera à sa place !

Sa femme sourit. Elle juge inutile d'insister. Mieux vaut profiter du dîner pour amener la conversation sur le projet.

Elle va voir Sylvie à la cuisine. Le singe lui tient

37

compagnie. La cuisinière lui parle, tout en maniant activement le rouleau à pâtisserie.

— Tu vois comment on fait ? Je sais bien ce que tu attends. Tiens ! lui dit-elle en lui lançant un petit bout de pâte.

Berlingot, ravi, saute sur son épaule. Il soulève une mèche de cheveux pour lui murmurer quelque chose à l'oreille. La jeune femme fait comme si elle avait compris :

— Oui, Berlingot. C'est bon et tu en veux encore. Tu en auras tout à l'heure, si tu te tiens tranquille ! Allez, descends de là !

— Vraiment, Sylvie, jamais je n'aurais imaginé qu'un jour vous rouleriez de la pâte avec un singe sur votre épaule. On aura tout vu, dans cette maison ! s'esclaffe tante Cécile.

— Il est si drôle et si gentil quand il veut obtenir quelque chose ! explique Sylvie, un peu confuse.

— Dites-moi, que pensez-vous de la proposition de Pilou ?

— Si le phare est en bon état, pourquoi les enfants n'iraient-ils pas l'habiter ? Ils s'amuseraient bien. Tels que je les connais, ça leur plairait sûrement !

— Mais vous croyez qu'ils seraient en sécurité dans un endroit pareil ?

— Dagobert est un excellent chien de garde. Et puis, François et Mick sont assez grands pour veiller sur les autres. Il y a juste Pilou... j'espère qu'il ne se prendra pas tout d'un coup pour un

38

avion et ne se lancera pas en vol plané du haut du phare !

— Ne dites pas ça ! Vous allez lui donner des idées ! À vrai dire, je suis navrée de ne pouvoir garder les enfants à la maison. Mais, avec nos deux savants, je ne vois pas comment régler la question autrement. Attention, Sylvie, Berlingot emporte le sachet de raisins secs !

— Coquin ! s'exclame la cuisinière.

Elle essaie d'attraper le singe, qui lui échappe et se réfugie avec son larcin en haut de l'armoire. Il paraît bien décidé à défendre ce qu'il considère désormais comme son bien.

— Veux-tu descendre ! s'époumone Sylvie, qui ne peut l'atteindre. Si tu ne me rends pas ce sac tout de suite, je t'attacherai sur une chaise !

Le singe fait une réponse qui sonne comme quelque chose d'impoli. Et, pour couronner le tout, il plonge sa petite main dans le sachet et y prend un raisin sec qu'il mâchonne tranquillement.

Du coup, Sylvie se fâche tout rouge. Elle fait un geste menaçant qui déplaît à Berlingot. Alors, il se saisit d'un autre raisin et, cette fois, le lui lance sur le nez. Elle en reste stupéfiée.

— Comment ! Tu oses me bombarder avec mes raisins ? Tu vas me payer ça ! riposte-t-elle d'une voix étranglée de colère.

Elle se dirige résolument vers l'évier et remplit un bol d'eau. Berlingot continue de la bombarder ; il danse sur son perchoir et pousse de petits cris

39

de joie. En gesticulant, il fait tomber un vase de porcelaine. Le vase se brise sur le carrelage de la cuisine. Effrayé par le bruit, Berlingot s'élance et atterrit sur le haut de la porte entrouverte. Il tient toujours ses munitions.

Sylvie le vise soigneusement. Hop ! Qui reçoit la pleine bolée d'eau sur la tête ? Hélas ! c'est Henri Dorsel...

Celui-ci, arraché à ses calculs par le bruit du vase brisé, fonce vers la cuisine, mais cette douche inattendue l'arrête net.

Quand elle voit le résultat de son geste, Sylvie ouvre des yeux horrifiés. Oncle Henri lève sa tête mouillée et regarde le singe d'un œil soupçonneux.

— C'est toi qui m'as lancé de l'eau ! Je vais te tordre le cou ! rugit-il.

Pilou, qui vient voir la scène, est soudain très inquiet. Heureusement, Sylvie sait assumer ses erreurs. Elle s'avance prudemment, d'un air confus.

— Non, ce n'est pas Berlingot, explique-t-elle. C'est moi qui...

— Vous, Sylvie ? Mais que se passe-t-il donc dans cette maison ? Vous jetez de l'eau à la tête des gens, maintenant ? Vous êtes devenue folle !

Tante Cécile s'empresse d'intervenir :

— Écoute, Henri, je suis persuadée que si l'on continue à vivre dans des conditions pareilles, effectivement, on deviendra tous fous ! Je voudrais te parler de quelque chose, ainsi qu'à toi, Hervé.

Le professeur Lagarde, resté sur le seuil du bureau, a l'œil vague d'un homme perdu dans ses calculs mathématiques. Interpellé, il sursaute, puis répond :

— Je t'écoute.

À ce moment-là, un raisin sec atterrit sur son crâne. Henri Dorsel en reçoit un autre sur le nez, et se met à hurler :

— Qu'on nous débarrasse de ce singe ! Qu'on l'enferme quelque part. Tenez, là, dans la poubelle !

— Non ! proteste Pilou, prêt à défendre son compagnon à ses risques et périls.

— Assez ! réagit fermement tante Cécile. Laissez-moi parler. Pilou propose que tous les enfants aillent avec lui passer quelques jours dans son phare. Car il paraît qu'il possède un phare.

— Quoi ? Ce garçon raconte des histoires ! Et tu l'as cru, Cécile ? s'exclame son mari.

— Pilou n'a pas menti, coupe le professeur Lagarde. J'ai acheté un phare pour faire des recherches. Quand j'ai eu terminé mes travaux, je ne savais plus quoi en faire. Ce n'est pas facile à vendre ! Or, Pilou le voulait absolument. Je lui en ai fait cadeau, mais je dois avouer que je n'ai jamais envisagé qu'il puisse y passer plusieurs jours avec des amis !

— Crois-tu que les cinq enfants peuvent s'y installer, le temps que vous êtes ici ? Ils vous gênent et, très franchement, vous les gênez aussi...

— Cécile ! proteste son mari.

— Que veux-tu, ces enfants ont besoin de s'amuser, à leur âge. Avec vous, c'est impossible !

Entre-temps, le Club des Cinq est arrivé. Claude s'avance vers son père.

— Papa, on partira tous, et tu seras bien tranquille avec M. Lagarde. Dis un seul mot : Oui ! C'est tout ce qu'on demande !

— Oui ! répond son père sans hésitation.

— Oui ! acquiesce Hervé Lagarde à son tour.

Tous deux en ont assez de cette discussion et ne pensent déjà plus qu'à une chose : retourner à leurs précieux documents.

Ils se dirigent vers le bureau.

— Merci, papa ! lance Claude, toute joyeuse. On partira dès que possible. Hip, hip, hip...

— Hourra ! crient les autres en chœur.

Seul, le claquement de la porte leur répond. Elle se referme sur deux savants exaspérés...

Claude attrape Dagobert par les deux pattes de devant et le fait valser dans la cuisine au sol jonché de raisins secs. Elle glisse et tombe assise par terre. Tout le monde éclate de rire, y compris tante Cécile et Sylvie.

— On va bientôt partir tous les cinq – plus deux animaux pour nous tenir compagnie, se réjouit François. En route pour une nouvelle aventure !

— Une aventure ! s'exclame Pilou, surpris. Tu

plaisantes ? On ne peut pas avoir d'aventure dans un phare. On sera tout seuls là-bas. Oui, tout seuls, avec la mer et le vent !

— Tu verras bien, Pilou, réagit Mick avec un sourire énigmatique. Tu ne connais pas encore le Club des Cinq !

chapitre 6

Les projets du Club des Cinq

Pilou parle longuement du phare à ses nouveaux amis qui l'écoutent avec un intérêt passionné.

— Il est très haut, explique-t-il. À l'intérieur, il y a un escalier en colimaçon, qui va jusqu'à la petite pièce ronde où se trouve la lanterne qui servait autrefois à guider les navires.

— J'ai hâte de le voir ! soupire Claude. Mais tu crois que Dagobert pourra monter cet escalier ?

— Je n'en sais rien. Si c'est trop difficile pour lui, il restera en bas. Berlingot, lui, peut grimper cet escalier à toute allure ! déclare orgueilleusement Pilou.

— Si Dagobert ne peut pas monter, je resterai en bas avec lui ! décrète la jeune fille.

— Attends ! dit François. Il faut d'abord qu'on sache exactement où se trouve le phare et comment

45

on pourra s'y rendre. Dommage que Pilou ne soit pas une vraie voiture, il nous y conduirait en vitesse !

Aussitôt, Pilou s'imagine transformé en caravane, transportant le Club des Cinq et ses bagages. François l'attrape et le fait asseoir de force sur une chaise.

— Donne-nous plutôt ta carte, dit-il.

Bientôt, Pilou et les Cinq se penchent sur le papier crasseux étalé sur la table. Puis Annie va chercher dans la bibliothèque des plans de la région.

— Par la route, c'est assez loin, constate Mick, car la côte se courbe à cet endroit. Si on pouvait y aller en bateau, on traverserait la baie et on arriverait juste aux rochers sur lesquels est bâti le vieux phare.

— Oui, mais on a beaucoup de bagages à emporter, souligne sa sœur, non seulement nos vêtements, mais aussi des ustensiles de cuisine et des provisions. Il faut qu'on nous emmène en voiture.

— En tout cas, ne vous chargez pas trop, conseille Pilou. Le chemin qui conduit au phare passe sur les rochers, et il n'est pas commode, je vous préviens ! Quand le temps le permettra, on pourra aller se ravitailler au marché du village. Certains jours, c'est impossible de quitter le phare. Les vagues balaient les rochers ! De plus, à marée haute, on ne peut gagner la côte qu'en bateau, car le chemin est recouvert par la mer.

— Ça promet ! dit Mick.

— Moi, je trouve ça quand même un peu effrayant, avoue Annie. J'espère qu'aucun navire ne viendra s'écraser sur ces affreux rochers quand on sera là-bas !

— Pas d'inquiétude ! Un phare plus moderne a été construit près de l'ancien, explique Pilou. Sa lumière éclaire cette partie de la côte et empêche les accidents.

— Annie, tu veux vraiment nous accompagner ? questionne François. Sinon, tante Cécile acceptera certainement que tu restes à la *Villa des Mouettes*, car tu n'es pas plus bruyante qu'une souris. Ce n'est pas toi qui gêneras notre oncle et le professeur Lagarde !

— Je n'ai pas l'intention de rester ici, proteste Annie, un peu vexée. Tu crois qu'il y a encore des naufrageurs ?

— Mais non, ça n'existe plus, à notre époque.

— Pensons aux choses sérieuses, intervient Mick. On ira donc là-bas en voiture. Qui nous conduira ?

— Moi ! s'écrie Pilou, plein d'enthousiasme et toujours prêt à confondre le rêve et la réalité.

— Tu n'as pas ton permis, objecte Mick gentiment. Ne dis pas n'importe quoi !

— N'empêche que je sais conduire ! J'ai pris le volant de la voiture de mon père plusieurs fois dans notre jardin...

— Tais-toi, dit Claude. Tu nous énerves, à la fin !

— S'il n'y avait que toi, tu peux être sûre que je ne t'emmènerais pas dans mon phare, réplique Pilou, vexé.

Claude hausse les épaules et n'insiste pas, car elle meurt d'y envie d'aller.

— On part quand ? demande Annie.

— Pourquoi pas demain matin ? suggère Mick. Les grandes personnes seront contentes de nous voir déguerpir le plus tôt possible. On va essayer de trouver un chauffeur et une voiture, et on fera nos valises.

— Super ! s'exclame joyeusement Claude, en tapant sur la table.

Le singe, effrayé, saute sur la bibliothèque.

— Allons jusqu'au village. Nous demanderons au garagiste s'il peut nous trouver un taxi pour demain, décide François. Viens, Dagobert !

— Ouah ! approuve le chien, qui attend depuis longtemps l'occasion de faire une petite promenade.

Ils se mettent en route. Le soleil brille entre deux nuages gris. La baie de Kernach s'étend, resplendissante, devant eux.

— J'aurais aimé aller un peu dans mon île, soupire Claude. Mais vraiment il fait trop humide pour y camper… Et puis, vive le changement !

Un peu plus tard, François entreprend d'expliquer au garagiste du village ce que le Club des Cinq attend de lui.

— On va au phare du cap des Tempêtes, explique-t-il. On y restera quelques jours.

— Quoi ? Vous voulez vous installer là-dedans ? s'écrie le garagiste en ouvrant des yeux surpris. C'est une plaisanterie ?

— Non ! Ce phare appartient à l'un de nous, rétorque François.

Le garagiste, perplexe, se gratte le menton.

— Il nous faudrait un chauffeur pour demain matin. On aura beaucoup de bagages, poursuit François.

— Bon. Vous êtes en ce moment à la *Villa des Mouettes*, c'est ça ? Chez M. Dorsel ? Je m'en occupe !

Sur le chemin du retour, l'aîné des Cinq annonce :

— Je suis sûr qu'il doit faire froid dans ce phare. Il faudra emporter des sacs de couchage bien chauds, des manteaux et des pulls.

— Il y a un réchaud, là-bas, dit Pilou. On pourra s'en servir si on a froid.

Ils se rendent à l'épicerie, pour acheter des provisions indispensables : sucre, beurre, œufs, etc.

Annie fait une liste.

— Aide-moi, Mick, dit-elle. Essayons de prévoir tout ce qu'il nous faut. Ce n'est pas si facile. Il faut avoir quelques réserves au cas où on serait bloqués...

— Imaginez, ce serait génial ! s'exclame Claude

49

qui se voit déjà perdue dans la tempête, et attendant des secours. Enfin quand même, ce serait dommage de mourir de faim ! Rajoute des biscuits sur la liste, Annie, et du chocolat... Des bouteilles de limonade...

— Attendez une minute ! Voilà tout ce qu'on peut dépenser pour le moment ! intervient François en sortant deux billets.

— Regardez, j'ai beaucoup d'argent, moi ! annonce fièrement Pilou, en exhibant un portefeuille bien rempli.

— Veinard, dit Claude. Comment tu fais pour être si riche ? Je parie que ton père te donne plusieurs fois ton argent de poche sans s'en rendre compte. Il est tellement distrait !

— Et le tien, il n'est pas distrait, lui ? Je l'ai vu ce matin qui...

— STOP ! coupe Mick. Pas la peine de se disputer ! Pilou, tu veux acheter quelque chose pour Berlingot ? Claude a pris des biscuits pour son chien ; on ira aussi demander des os au boucher.

Pilou achète pour son singe un paquet de raisins secs, des dattes, des figues séchées et des bananes. Berlingot regarde tout cela d'un œil approbateur. Mais il trouve plus drôle de s'attaquer aux biscuits de son ami le chien.

— Bas les pattes ! lui lance Claude, d'un ton péremptoire.

Aussitôt, Berlingot saute sur l'épaule de son

maître et prend un air si honteux, si malheureux, qu'il fait rire tout le monde.

— Achetons encore quelques kilos de fruits, suggère François. Ce sera suffisant pour aujourd'hui. On fera livrer tout ça au garage. Il n'y aura plus qu'à le mettre dans la voiture qui nous transportera demain matin.

— Demain matin ! murmure Claude, les yeux brillants de joie. Je voudrais déjà y être. J'ai hâte de voir le phare de Pilou !

chapitre 7

Le départ

Pendant la soirée, tous pensent à ce qui les attend le lendemain : au taxi qui viendra les chercher, à la promenade jusqu'au cap des Tempêtes, à la découverte et à l'exploration du phare et de ses alentours…

— J'essaie d'imaginer notre première nuit là-bas, dit Claude. On sera seuls, dans ce vieux bâtiment, on écoutera le vent gronder et les vagues se briser autour de nous. Bientôt, on s'endormira, bercés par le chant de la mer...

— Et tu te réveilleras aux cris des mouettes, ajoute Pilou. J'aimerais avoir de grandes ailes, moi aussi, et glisser comme les oiseaux dans le vent...

— Si seulement le cri des mouettes n'était pas si horrible ! murmure Annie.

Quand tante Cécile entend, à la radio, les prévisions de la météo, elle s'inquiète. Elle voit déjà les enfants, tremblants de froid et peut-être de peur, dans le vieux phare abandonné... Mais les Cinq et Pilou lui répondent, indignés :

— Un taxi doit venir nous chercher demain matin !

— On a acheté des tas de provisions ! Et puis, Sylvie nous a préparé un énorme paquet de bonnes choses. Elle a même fait un gâteau spécialement pour cette occasion !

— Maman ! Tu as dit oui !

Cécile Dorsel capitule :

— C'est bon ! Je vous laisserai partir. Mais n'oubliez pas de m'envoyer une carte postale dès que vous serez installés. J'espère qu'il y a un bureau de poste dans le village voisin.

— Oui, il y en a un, dit Pilou. On vous enverra une carte tous les jours. Comme ça, vous serez rassurée.

— Très bien. N'oubliez pas, car si un jour je ne reçois pas de nouvelles, je me ferai du souci !

— Tante Cécile, il ne faudra pas t'inquiéter, tempère Mick. On sera sans doute en train de jouer bien tranquillement aux cartes, pendant que la tempête se déchaînera dehors... On ne manquera ni de biscuits, ni de chocolat...

— Ouah ! fait Dagobert, en entendant des mots qui sonnent si agréablement à ses oreilles.

— Eh ! Dago, n'interromps pas la conversation,

c'est mal élevé, le gronde gentiment Mick, tout en le caressant.

— Ouah ! répète Dagobert, en donnant un grand coup de langue sur le nez du garçon.

— Il faut vous coucher tôt ce soir, prévient tante Cécile. Vous aurez beaucoup de travail demain matin. À quelle heure vient le taxi ?

— À neuf heures et demie, répond Claude.

— Alors vous verrez le professeur Lagarde avant de partir. Enfin, sauf s'il oublie de venir prendre son petit-déjeuner. Pilou, est-ce que ton père est aussi distrait chez toi ?

— Oui. Berlingot et moi, on y est habitués. Berlingot aime beaucoup le café au lait.

— Je me demande ce qu'on va devenir, enfermés avec ton singe, commente Mick. On ne pourra pas l'envoyer jouer dans le jardin, pour y faire ses farces. Tu sais quoi, Tante Cécile ? Ce matin, Berlingot m'a volé mon crayon et il a commencé à écrire sur le mur ! Bien entendu, je l'ai l'arrêté à temps. Il s'est mis en colère. Si tu l'avais entendu ! Il m'a injurié !

— Tu devrais être plus sympa avec Berlingot, proteste Pilou, froissé. Je t'assure que, pour un singe, il est très bien élevé. Si tu voyais certains singes que je connais !

Tant d'incompréhension le révolte. Il prend sa précieuse petite bête dans les bras et sort du salon. Alors, on entend une sorte de grincement

55

dans le hall, un cri imitant le bruit d'une voiture rouillée…

Cécile Dorsel se précipite.

— Tu as fini, oui ? demande-t-elle à Pilou. Arrête-toi avant que ton père ne t'entende.

— Mais… cette fois, je n'étais qu'un tracteur, gémit Pilou, surpris. Quand on est méchant avec moi ou Berlingot, ça me console d'imiter une machine qui fait du bruit.

— Ce n'est plus de ton âge, souligne Claude.

— Dans ce cas, salut ! Je vais me coucher, lance Pilou, vexé.

— Excellente idée, estime Mme Dorsel. Bonne nuit, Pilou, bonne nuit, Berlingot. Faites de beaux rêves et n'oubliez pas de vous lever de bonne heure demain matin.

Pilou se sent gentiment poussé vers l'escalier. Plus moyen de reculer ! Il monte les marches en bougonnant, Berlingot toujours sur son épaule. Mais bientôt, le jeune garçon retrouve le sourire. Il pense à son phare. Ah ! Quand Claude et ses cousins le verront, ils en seront ébahis ! Tout en se déshabillant, il se plaît à imaginer leurs réactions. Dès qu'il est couché, Berlingot se glisse sous l'édredon, au pied de son lit.

Le lendemain matin, c'est Claude qui se réveille la première. Elle constate avec plaisir que, malgré les prévisions météo, le soleil brille. Elle tend l'oreille : le bruit des vagues ne parvient pas jusqu'à la maison. Donc, la mer est calme. Elle réveille Annie.

— C'est aujourd'hui qu'on va au phare ! claironne-t-elle. Lève-toi !

Les enfants descendent à la salle à manger. Ils viennent de s'asseoir autour de la table quand le professeur Lagarde fait une apparition remarquée.

— Ah ! Te voilà, Hervé ! s'exclame Mme Dorsel, avec un large sourire. Tu es tombé du lit, ce matin ?

— Non, mais Pilou a fait tellement de bruit en se levant qu'il m'a tiré de mon sommeil, se plaint M. Lagarde. Au fait, c'était bien Pilou ? Ou le singe ? C'est curieux, le matin, au réveil, il m'arrive de les confondre...

Tous les enfants pouffent, sauf Pilou.

L'oncle Henri, descendu depuis un certain temps, travaille déjà dans son bureau. Comme il risque de laisser refroidir son café au lait, tante Cécile envoie Claude le chercher.

Claude frappe à la porte du bureau.

— Papa ! appelle-t-elle. Viens déjeuner !

— Mais... j'ai déjà mangé, non ? interroge Henri Dorsel.

— Non, papa. Allez, dépêche-toi. On va partir pour le phare !

— Le phare ? Quel phare ?

L'adolescente, découragée, renonce à donner des explications et retourne à la salle de séjour.

57

Son père, qui vient de redescendre sur terre, l'y suit.

Après le déjeuner, tous les enfants s'affairent. Ils réunissent des duvets, des pulls, des pyjamas – les plus chauds qu'ils trouvent ; des gâteaux et des pâtés préparés par Sylvie, des sandwichs pour le voyage, des livres, des cartes et différents jeux de société. Comme le fait remarquer Claude, on croirait qu'ils partent pour un mois.

Pilou, un peu à l'écart, contemple un petit objet qu'il tient dans le creux de la main.

— Qu'est-ce que tu fais ? lui demande Annie.

— Je regarde ma boussole. Il ne faut pas que je l'oublie ici.

— Tu crois qu'elle sera utile au cap des Tempêtes ? questionne Mick, moqueur. On ne s'éloignera jamais de ton phare au point de ne plus le voir.

— Surtout que ça se voit de loin, un phare ! renchérit Claude. C'est un point de repère !

— Ça ne fait rien. Je ne me sépare jamais de ma boussole. On ne sait pas ce qui peut arriver. Elle m'a déjà rendu bien des services… affirme Pilou en la remettant dans sa poche.

Il est à peine neuf heures et demie et Mick s'impatiente déjà.

— Le taxi est en retard, grommelle-t-il en marchant de long en large.

Mais bientôt, Annie, qui a l'oreille fine, annonce :

— Le voilà ! Vous êtes tous prêts ? Dagobert et Berlingot sont là aussi ? Parfait ! En route pour le phare de Pilou !

La voiture s'arrête devant la villa. Le chauffeur klaxonne. Henri Dorsel sursaute, et se retourne vers Pilou :

— C'est encore toi qui fais le pitre ? interroge-t-il d'un ton menaçant.

— Non, ce n'est pas moi, juré ! C'est le taxi qui vient d'arriver !

— Papa, c'est la voiture qui vient nous chercher, dit Claude.

— Ah ! bon. Pourquoi ne m'a-t-on pas prévenu ? Au revoir ! Amusez-vous bien ! Et surtout soyez prudents !

Le chauffeur enfourne les bagages dans le coffre. Pendant ce temps, le Club des Cinq, Pilou et son singe s'entassent tant bien que mal à l'arrière. Quand le chauffeur voit le résultat, il ouvre de grands yeux et dit :

— Ma voiture est pleine comme un œuf ! Comment avez-vous pu vous caser tous ?

Enfin le taxi démarre, dans un vrombissement qui ravit Pilou. Il veut aussitôt l'imiter. Les autres menacent de le jeter dehors.

— On est partis ! s'écrie Claude. Une fois de plus, on va se débrouiller tout seuls. C'est ce que je préfère. Et toi, Dagobert, tu es content ?

— Ouah ! fait le chien.

59

Il se couche et pose affectueusement la tête sur les pieds de Claude. Celle-ci peut bien l'emmener au bout du monde, le brave Dago est heureux tant qu'il reste avec elle !

chapitre 8

Voilà le phare !

Le parcours est très agréable, car la route longe la côte, qui s'incurve à cet endroit. Certains points de vue sur la mer et les rochers sont si beaux que chacun s'arrête de plaisanter pour mieux les admirer. Dagobert, le nez à la portière, observe lui aussi.

— Je me demande pourquoi Dagobert passe toujours sa tête dehors quand on est en voiture, commente Claude. Il apprécie la beauté du paysage, ou il a mal au cœur ?

— Peut-être les deux, s'avance François. Il paraît que les chiens sont ultrasensibles à l'odeur de l'essence. Et regardez ce pauvre Berlingot ! Lui non plus, il n'est pas dans son assiette !

En entendant le nom de son ami le singe, Dagobert rentre la tête un court instant, l'examine en remuant les oreilles et, comme apitoyé, lui donne un coup de langue sur le nez. Berlingot ne bouge pas ; on dirait qu'il craint qu'un geste ne le rende encore plus malade.

Ils s'arrêtent pour déjeuner sur une petite plage. Chacun déballe ses provisions. Berlingot, soudain ressuscité, va tranquillement s'installer sur les genoux du chauffeur ! Et, grâce à son irrésistible mimique, réussit à se faire offrir ce qui lui plaît. Quand ils se remettent en route, François demande :

— Dans combien de temps arriverons-nous au cap des Tempêtes ?

— Dans une demi-heure environ, répond le chauffeur. Où allez-vous loger ? Le garagiste ne me l'a pas précisé.

— Au phare. Vous connaissez ?

— Bien sûr. Mais personne n'y habite, dit le chauffeur qui croit à une plaisanterie. Vous allez chez des amis qui sont dans le coin ?

— Non, non. On va *vraiment* s'installer dans le phare, dit Pilou. Il est à moi.

— Pas possible ! Eh bien, quelle vue splendide, tu as de chez toi ! s'exclame le chauffeur, admiratif. Je suis né au cap des Tempêtes. Mon arrière-grand-père vit toujours dans notre maison familiale. Dans mon enfance, il me racontait des histoires sur le phare. Il paraît qu'une fois des naufrageurs ont réussi à s'y introduire. Après s'être emparés du gardien, ils ont éteint la lanterne pour qu'un grand navire vienne se briser sur les rochers !

— C'est horrible ! Ce bateau a vraiment fait naufrage ? questionne Annie.

— Oui. Il s'est fracassé sur les rochers. Alors les bandits ont attendu la marée basse pour s'emparer de tout ce qui les intéressait, parmi les débris. Il faudra que vous alliez voir mon arrière-grand-père, et que vous lui demandiez de vous raconter ses histoires d'autrefois. Peut-être même vous montrera-t-il la caverne des Naufrageurs...

— Pilou nous en a parlé, dit Claude. On peut réellement la visiter ? C'est vrai qu'il y a des bandits qui s'y cachent parfois, encore de nos jours ?

— Non, rassurez-vous. Les naufrageurs ont disparu depuis longtemps.

— Comment s'appelle votre arrière-grand-père ? interroge Annie, qui voudrait aller voir cet homme dès que possible.

— Yann Le Briz, répond le chauffeur. On vous indiquera sa maison. Il est connu de tout le village. D'ailleurs, s'il y a un rayon de soleil, vous le trouverez assis sur le quai, en train de fumer la pipe. Il n'est pas commode, mais il aime bien les enfants. Il vous racontera des tas de choses intéressantes !

Ils roulent quelques minutes en silence, puis le chauffeur se met à pester contre un troupeau de vaches qui lui barre la route.

— Klaxonnez un bon coup, suggère Pilou.

— Ce n'est pas prudent lorsqu'on passe près

d'un troupeau de vaches, mon garçon. Le bruit les effraie, et elles se mettent à ruer de tous les côtés ! réplique le chauffeur.

Pilou se renfrogne, vexé de ne pas tout savoir sur l'art de conduire.

Un peu plus tard, le chauffeur leur désigne un point dans le lointain.

— On approche, dit-il. Ces rochers, là-bas, tout au bout de la côte, c'est le cap des Tempêtes !

— Pourquoi l'appelle-t-on comme ça ? questionne Annie, un peu anxieuse. Il fait souvent mauvais temps ?

— Oui. C'est un lieu qui a été longtemps redouté des marins. Heureusement que le nouveau phare est très puissant ! Là-bas, quelques-uns de ces rocs affleurent à peine, ils peuvent ouvrir un bateau en deux ! D'autres sont dressés en dents de scie...

— On va bientôt apercevoir le phare ? demande Claude, qui ne tient plus en place.

— Quand nous serons en haut de cette colline, là devant vous, alors vous le verrez de loin. S'il vous plaît, dites à votre singe de retirer sa patte de ma poche. Il ne reste plus rien d'intéressant pour lui dedans !

— Tiens-toi bien, Berlingot ! gronde Pilou, si sévèrement que le petit animal se cache le museau dans les pattes et se met à gémir.

— Quel farceur ! dit Claude. Il fait semblant de pleurer.

— Ce n'est pas vrai ! proteste Pilou. Il a *vraiment* du chagrin. C'est un animal très sensible.

Ses amis rient et plaisantent sur la sensibilité de Berlingot jusqu'au moment où, enfin, le phare se révèle à leurs yeux.

— C'est lui ? questionne Annie, qui l'aperçoit la première.

— Oui, répond le chauffeur. Pour un vieux phare, il a encore de l'allure, n'est-ce pas ? Il a été construit avec de belles pierres. Et voyez comme il est haut ! Les vagues sont parfois énormes à cet endroit, aussi il a fallu le faire assez grand pour que la lumière ne soit pas masquée par l'écume des vagues sur les vitres.

— Où se tenait le gardien ? questionne Mick.

— Il y a une pièce assez confortable en dessous de la lanterne, précise le chauffeur. Mon arrière-grand-père m'y a emmené une fois. Je m'en souviens encore, car j'ai été très impressionné !

— Eh bien, mon papa, lui, a vécu là tout un été ! déclare Pilou. J'ai passé quelques jours avec lui. C'était formidable !

— Pourquoi ton père vivait-il dans un phare ? demande le chauffeur, curieux. Il voulait se cacher, ou quoi ?

— Se cacher ? Oh ! non ! C'est un savant, mon père ! explique le garçon, fièrement. Il voulait seulement travailler en paix, ne pas être dérangé... Échapper au téléphone et aux visites !

65

— Et quand tu étais là, que devenait sa tranquillité ? taquine le chauffeur.

— Heu... De toute façon, ce n'est pas tellement calme, là-bas. Les vagues font du bruit, le vent aussi, et les mouettes... Mais mon père n'y faisait pas attention. Lui, il ne remarque que les sonneries, ou les éclats de voix, ou les coups frappés à sa porte. Ces bruits-là l'agacent ! Il aimait beaucoup travailler dans le phare.

— Bon. J'espère que vous vous y amuserez bien. Moi, ça ne me plairait pas vraiment d'avoir pour seule compagnie la mer et les mouettes !

Lorsqu'ils descendent l'autre versant de la colline, le phare disparaît à leurs yeux.

— On arrive bientôt, déclare Pilou. Heureusement pour Berlingot, qui a encore mal au cœur. Allez, mon vieux, du courage ! Tu vas pouvoir faire des tas d'acrobaties, dans l'escalier !

Le chauffeur s'arrête au bord de la mer. Tout le monde descend. Les enfants voient alors le phare, qui se trouve à une bonne distance du rivage. Un petit bateau se balance près de la jetée. Pilou le désigne à ses amis en s'exclamant joyeusement :

— C'est notre bateau ! Celui qui nous conduisait du phare au rivage à marée haute. On l'appelait *L'Anguille*...

— Il est à toi ? interroge Claude.

— Mon père l'a acheté en même temps que le phare, donc je pense qu'il m'appartient aussi. En tout cas, c'est le bateau qui sert quand on ne peut pas passer à pied sur les rochers.

— J'espère que vous ne serez pas bloqués par une tempête, intervient le chauffeur. N'essayez pas de sortir avec ce petit bateau si la mer est trop mauvaise. Vous voulez que je vous donne un coup de main pour transporter vos affaires ?

— Avec plaisir, merci ! dit François.

Tandis que tous deux vident la voiture, les autres commencent à transporter les sacs à bord. Alors, un vieil homme, assis non loin de là, s'approche d'eux.

— J'ai eu un appel de Kernach me disant qu'il fallait que je sorte ce bateau, annonce-t-il. Lequel de vous est le jeune Lagarde ?

— C'est moi ! réagit Pilou. Le bateau m'appartient ! Venez tous ! Embarquons-nous vite pour le phare !

chapitre 9

Dans le phare

Les cinq enfants grimpent dans le bateau. Dagobert saute auprès de Claude. Berlingot, lui, se met à crier de terreur quand Pilou le prend dans ses bras et s'installe à son tour dans la barque.

— Alors, Berlingot, tu ne te souviens pas de ce petit bateau ? Tu n'as jamais aimé les voyages sur l'eau, hein ? observe tendrement Pilou, en le caressant pour le rassurer.

Il y a deux paires de rames. François en prend une, et Claude s'apprête à saisir l'autre, quand Mick la devance. Il sourit devant la mine déconfite de sa cousine.

— Excuse-moi, dit-il, mais la mer est assez agitée, il faut des muscles pour lutter contre ces grosses vagues ! Je suis quand même plus fort que toi !

69

— Je sais ramer aussi bien que toi ! proteste Claude.

Juste à ce moment, le bateau s'incline fortement, et la jeune fille a juste le temps de rattraper l'un des sacs, qui va passer par-dessus bord.

— Bien joué ! s'écrie François. Bons réflexes ! Oh ! là ! là ! On est drôlement secoués !

— Vous avez vu les rochers sur lesquels on passe ? demande Annie, effrayée. Il ne faut pas abîmer le fond de notre bateau !

— À marée basse, on va au phare en marchant sur ces rochers, explique Pilou. Il y en a un qui est creusé de telle sorte qu'on peut s'y baigner. Je me suis souvent amusé dans cette sorte de petit bassin. L'eau chauffe rapidement au soleil, on se croirait vraiment à la piscine !

— Malheureusement, on ne pourra pas en profiter, car il fait trop froid, soupire Annie. François, regarde cette aiguille de pierre, juste au-dessous de nous !

— En effet, elle peut fendre un bateau en deux, constate François.

Les garçons manœuvrent du mieux qu'ils peuvent.

Quand ils ont franchi ce passage difficile, les enfants regardent le phare qui leur semble très haut. Il fait corps avec le roc sur lequel il est bâti. Mick pense que les fondations doivent être très profondes, pour que le phare soit assez solide pour résister à

70

toutes les tempêtes. Juste en dessous de la lanterne, il y a une galerie circulaire.

— Quelle belle vue on doit avoir de là ! s'enthousiasme Claude.

Ils s'approchent du phare. Des marches de pierre partent des rochers et permettent d'accéder à la porte d'entrée, située hors d'atteinte des vagues.

— Est-ce que la porte est fermée à clé ? interroge Mick, soudain inquiet. J'espère qu'on n'a pas fait tout ce chemin pour rien !

— Bien sûr que la porte est fermée, réplique Pilou. Quelqu'un a la clé ?

— Quoi ? s'exclame François, qui s'arrête de ramer et regarde Pilou d'un œil furieux. Tu ne vas pas nous dire qu'on ne peut pas entrer dans le phare, maintenant ?

— Mais non ! s'esclaffe Pilou. Je voulais seulement vous taquiner un peu. Voilà la clé ! Papa me l'a donnée, puisque c'est mon phare. Je la garde toujours avec moi !

Il exhibe une grosse clé. Claude s'étonne qu'elle puisse tenir dans la poche de Pilou.

— Maintenant, les rameurs, il faut que vous fassiez très attention, prévient ce dernier. Attendez qu'une vague arrive, puis laissez-vous porter, et essayez d'atteindre ce rocher, celui qui ressort. Dans ce coin-là, c'est plus calme. De là, on pourra gagner les marches en toute sécurité. Claude, tu vois cette aiguille de pierre ? Pour aborder, tu lan-

71

ceras la corde autour. C'est toi la mieux placée pour le faire.

Tout se passe à la perfection. Le bateau arrive en effet dans des eaux moins agitées ; les deux garçons rament de toutes leurs forces. Ils arrivent au pied du phare, où Claude réussit à amarrer l'embarcation. Il ne reste à franchir que quelques rochers pour atteindre les marches. L'un après l'autre, les enfants et Dagobert sautent du bateau ; ils scrutent le phare. Il paraît gigantesque, vu de près !

— Je vais ouvrir la porte, annonce fièrement Pilou.

Il gravit les marches.

— Regardez ces pierres énormes ! Mon phare est solide, il durera encore longtemps ! ajoute-t-il.

Il s'approche de la porte massive, introduit la clé dans la serrure et tente de la faire tourner. Il s'y efforce pendant plus d'une minute, puis lance à ses amis un regard angoissé :

— Je n'y arrive pas, avoue-t-il. Vraiment, je ne vois pas pourquoi ! Qu'est-ce qu'on va devenir ?

— Laisse-moi essayer, propose François. Cette serrure n'a pas fonctionné depuis longtemps. C'est probablement pour cela qu'elle résiste.

Il prend la clé, et, à la deuxième tentative, réussit à ouvrir la porte. Chacun pousse un soupir de soulagement. François fait entrer ses compagnons à l'intérieur.

— Enfin, nous y voilà ! se réjouit Mick. Qu'il

fait sombre ici ! Heureusement que j'ai apporté une lampe de poche !

La lumière ne révèle qu'un escalier de fer en colimaçon, qui occupe le centre du phare.

— Cet escalier conduit jusqu'à la lanterne, en passant par quatre pièces différentes, annonce Pilou. Je vais vous les montrer. Tenez-vous bien à la rampe, car ça étourdit de grimper en tournant si longtemps !

Pilou prend la tête de la file. Ils montent de nombreuses marches. Enfin, ils arrivent dans une pièce obscure. Pilou l'éclaire.

— C'est là que le gardien du phare mettait ses provisions, explique-t-il. Dans le coin, il y a une vieille cloche, sous une bâche. Autrefois, elle était pendue tout là-haut, dans la galerie ; on la faisait sonner les jours de tempête.

Ils atteignent le second étage.

— Ici, le gardien rangeait les bidons de pétrole nécessaires pour alimenter la lampe du phare. Dans ce temps-là, on ne connaissait pas encore l'électricité, alors on éclairait les phares avec des lampes à pétrole.

Cette pièce est basse, sans fenêtre, encombrée de récipients vides. Il y règne une odeur désagréable. Annie se bouche le nez.

— Je n'aime pas cet endroit ! s'exclame-t-elle. Ça sent mauvais !

Puis c'est le tour d'une chambre accueillante

73

et gaie, grâce au rayon de soleil qui perce par une étroite fenêtre.

— C'est ici qu'on couchait, mon père et moi, dit Pilou. Tiens, on a oublié de remporter ce vieux matelas, qui est dans le coin. Tant mieux ! Il va nous être utile !

Ils continuent leur ascension, et parviennent à une pièce plus haute de plafond que les autres, avec une fenêtre étroite et longue. Le soleil éclaire une table, trois chaises, un coffre. Il y a aussi un vieux bureau et un réchaud ainsi qu'un appareil de chauffage au butane.

— Voilà quelques ustensiles de cuisine. On a laissé des cuillers, des fourchettes et des couteaux, mais pas assez pour nous cinq, bien sûr ! Il y a aussi de la vaisselle. J'en ai cassé beaucoup, mais quand même il reste quelques assiettes et quelques tasses. Je les nettoyais juste avec un torchon. L'eau est précieuse dans un phare, vous savez ! Il ne faut pas la gaspiller !

— Où est le réservoir à eau ? questionne Claude, subitement nerveuse. Il nous faut de l'eau !

— Mon père a installé un réservoir à l'ouest du phare, pour recueillir l'eau de pluie. L'eau descend dans un tuyau qui passe par une fenêtre et alimente un robinet au-dessus de l'évier. Mon père est très habile, et pour lui une installation comme celle-là, c'est simple comme bonjour. Il ne voulait pas être obligé d'aller dehors pour se laver ! Ah ! on s'est bien amusés, tous les trois, ici !

— Tous les trois ? répète Mick, surpris. Tu n'étais pas seul avec ton père ?

— Et Berlingot, qu'est-ce que tu en fais ? demande Pilou.

En entendant son nom, le petit singe saute dans les bras de son jeune maître et s'y blottit, comme pour lui prouver son affection.

— Que reste-t-il à voir ? interroge Annie.

— La lanterne ! Je vais vous la montrer tout de suite ! Venez, c'est très intéressant ! s'écrie Pilou, les yeux brillants de joie.

Tous se précipitent derrière lui.

Dagobert suit lentement. Il commence à en avoir assez de se tortiller dans cet escalier minuscule. En revanche, le singe est très à l'aise : il passe devant tout le monde, comme s'il voulait faire lui-même la visite !

chapitre 10

Découverte

Ils arrivent dans la cage en verre qui abrite l'énorme lampe. Le soleil les éblouit. Ils doivent fermer les yeux quelques instants. Quand ils les rouvrent, ils poussent des cris de surprise et d'admiration. Du haut du phare, la vue est magnifique !

Après avoir avidement regardé dans toutes les directions, Mick constate :

— Il y a une porte ici ! Dis, Pilou, elle ouvre sans doute sur cette galerie à ciel ouvert qui fait le tour de la lanterne ?

— Oui, confirme le garçon. Quand le temps est mauvais, les mouettes viennent s'y percher par douzaines. Mais on ne peut s'y promener que si le temps est vraiment calme. Aujourd'hui vous risqueriez d'être emportés par le vent ! Si vous saviez quelle drôle d'impression on a ici, quand il y a de la tempête ! Un soir, poussé par la curiosité, j'étais monté avec mon père, et j'ai vraiment cru que le phare bougeait !

— C'est un endroit extraordinaire pour passer quelques jours de vacances ! juge Annie. Ah ! Pilou, tu es le garçon le plus chanceux du monde !

— Tu le penses vraiment ? questionne Pilou, en rougissant de plaisir. J'étais sûr que vous vous plairiez tous dans mon phare ! C'est tellement agréable ! Hein, Berlingot ?

Le singe, accroché à la lampe, parle tout bas à l'oreille de Dagobert. Lui donne-t-il des explications, lui aussi ? Dagobert écoute, les oreilles dressées, la tête penchée de côté.

— On dirait qu'il comprend ce que raconte le singe, commente Claude. C'est drôle ! Alors, Pilou, personne n'allume plus jamais cette lampe, c'est ça ?

— Non, jamais. Il y a maintenant un beau phare, plus loin, sur la côte. Et lui, évidemment, il marche à l'électricité. On verra sa lumière la nuit, sur la mer...

— Je me demande pourquoi les gens ne construisent pas de phares pour y vivre... s'étonne Annie qui ne se lasse pas d'admirer l'immense panorama.

— Vous avez faim ? questionne Mick. Moi, j'ai les crocs !

— Moi aussi, avoue la benjamine des Cinq.

— Oh ! On a oublié de vider le bateau ! s'aper-

78

çoit Pilou. Venez, on va tout ramener ici et goûter. Il est temps ! Quatre heures ! Pas étonnant qu'on ait si faim ! Viens, Dagobert, tu nous aideras !

Ils descendent l'escalier en spirale. François ouvre la porte. Le vent s'engouffre dans le phare ; les enfants doivent lutter pour sortir. Ils grimpent sur les rochers près desquels ils ont laissé le bateau, qui se balance doucement, à l'abri des grosses vagues.

— Je me charge de transporter la moitié des sacs, décide Mick. Les gars, prenez les autres. Les filles, ramenez le reste. Tiens, Berlingot est déjà au travail !

En effet, le singe s'est emparé d'un petit paquet et retourne vers le phare en le serrant contre sa poitrine.

— Bravo ! Vous voyez ? Il sait s'y prendre ! s'écrie Pilou. Souvent, on fait les courses ensemble, et il m'aide à porter les provisions.

Berlingot, très fier de se rendre utile, transporte du bateau au phare tout ce qui n'est pas trop lourd pour lui. Dagobert le considère avec étonnement, il regrette de ne pouvoir se servir de ses pattes comme Berlingot. Claude le comprend :

— Toi aussi, tu peux nous aider ! assure-t-elle. Tiens, porte donc ce panier !

Tout heureux, le chien prend l'anse du panier dans sa gueule et gravit les marches du phare !

— Laissons le bateau ici, décide Pilou. Il est en sécurité, attaché à ce roc pointu. Mais si les vagues

79

deviennent trop fortes, il faudra le hisser jusqu'au milieu des marches.

Ils remontent ensuite dans le phare.

— Mangeons un peu avant de commencer à s'installer, propose Annie. J'ai de plus en plus faim ! Il me semble qu'un simple goûter ne me suffira pas. Il me faudrait un repas complet.

— C'est ce qui arrive quand on vit dans un phare, commente Pilou.

— Vous voulez une soupe, pour commencer ? suggère Mick. Et ensuite deux œufs à la coque ?

— Parfait ! s'écrient les autres en chœur.

Pilou allume le réchaud, puis il va chercher de l'eau.

Il a plu abondamment, aussi le réservoir est plein. Lorsque Pilou ouvre le robinet, il vient une eau d'abord trouble, parce qu'elle a séjourné dans la tuyauterie, puis une eau bien claire.

— Tout marche ! constate Claude.

Les enfants préparent le potage, puis font cuire les œufs à la coque.

— Deux œufs chacun ! À ce rythme, il faudra aller se ravitailler au village chaque jour ! remarque François.

Mais leur appétit n'est pas calmé pour autant.

— Que diriez-vous d'un des petits pâtés que nous a préparés Sylvie ? propose Mick, tentateur.

— Et des macarons ? La spécialité de la maison ! ajoute Claude, tout aussi gourmande.

— Impossible de résister ! soupire François.

Pour leur premier repas dans le phare, le Club des Cinq, Pilou et Berlingot se régalent. Les mouettes rôdent au-dehors, lançant parfois leur cri discordant. Le vent et la mer font entendre leur chant sauvage...

En pensant qu'elle va rester là plusieurs jours, Annie a un certain sentiment de crainte, mêlé à sa joie...

Quand le repas est fini, les enfants lavent la vaisselle, dans le petit évier.

— Essuyez-les simplement ! conseille Pilou. Comme ça !

— Non ! riposte Annie en l'arrêtant dans sa démonstration. Ça ne dégraisse pas ! Laisse, je sais comment faire.

— Bien sûr, parce que tu es une fille, réplique Pilou, taquin.

— Tu crois que toutes les filles aiment faire le ménage ? intervient Claude. Eh bien, tu te trompes ! Je déteste ça, moi !

— Toi, de toute façon, tu ressembles à un garçon. En plus, tu es brutale et tu es mal polie... dit Pilou, qui pensait faire plaisir à Claude.

— Quoi ? Je suis plus polie que toi ! proteste l'adolescente, vexée.

Elle se dirige vers la fenêtre. Mais personne ne peut rester longtemps fâché, devant le spectacle de la mer.

Claude, l'ayant contemplée un moment, se retourne vers Pilou avec un sourire.

— Cette vue est unique, estime-t-elle. Tu as de la chance, Pilou !

— Vraiment ? fait Pilou, ravi.

Il réfléchit un court instant, puis ajoute :

— Je veux bien te donner la moitié de la vue, si ça peut te faire plaisir. Je n'ai pas besoin de tout !

François éclate de rire.

— On va tous la partager, pendant qu'on est ici ! annonce-t-il. Maintenant, déballons nos affaires et installons-nous. Vous, les filles, vous serez très bien pour dormir dans cette cuisine, et nous, les trois garçons, on couchera dans la chambre. D'accord, Pilou ?

— Bien sûr, tant que Berlingot peut rester avec moi. Claude gardera sans doute Dagobert auprès d'elle.

— Ouah ! approuve Dagobert.

Pour lui, il n'est pas question de se séparer de sa chère maîtresse !

Les cinq enfants commencent joyeusement leur installation. Ils rangent tout ce qu'ils ont apporté.

Quand Annie tombe sur le papier à lettres, elle se souvient de la promesse faite à tante Cécile et la rappelle aux autres.

— Aujourd'hui, ce n'est pas la peine d'écrire, car le chauffeur dira à mes parents qu'on est bien arrivés, assure Claude. Mais demain on ira au village et on achètera un stock de cartes postales. On en enverra une chaque jour à Kernach. Sinon, maman s'inquiétera.

— Parfait ! acquiesce Mick. Et maintenant, si on faisait une partie de cartes ?

Cette proposition est accueillie avec enthousiasme. Bientôt la cuisine retentit de cris et de rires : Dagobert et le singe observent les enfants, et parfois expriment eux aussi leur joie. Encore une fois, le Club des Cinq s'amuse bien !

chapitre 11

Yann Le Briz

Quand la nuit tombe, Pilou va chercher une vieille lampe.

— Il y a encore du pétrole dedans, constate-t-il. Je vais l'allumer, pour qu'on puisse continuer notre partie de cartes.

— Dommage qu'il soit impossible d'allumer la grande lampe, là-haut, regrette Claude. Pour un gardien de phare, ce doit être émouvant d'éclairer la lanterne pour guider les navires. Je me demande depuis combien de temps les hommes construisent des phares…

— L'un des premiers grands phares a été construit trois cents ans avant Jésus-Christ sur une île nommée Pharos – d'où son nom – près du port d'Alexandrie, récite François.

85

— Tu en sais des choses ! observe Annie avec admiration.

— J'ai étudié ça en classe juste avant les vacances… avoue son frère.

— Il était en pierre, comme celui-ci ? questionne Pilou.

— Non, il était fait de marbre blanc. Ce devait être merveilleux !

— Comment éclairait-il ?

— Il paraît que les Grecs allumaient chaque soir un feu gigantesque en haut du phare. Les navires pouvaient voir les flammes à plus de cent kilomètres !

— Alors le phare devait être très grand, fait remarquer Mick.

— On pense qu'il faisait environ cent quatre-vingts mètres de haut, confirme François.

— J'aimerais aller le voir un jour, s'il en reste quelque chose, murmure Annie.

— Non, rien du tout ! Après vingt-deux siècles… Il a été détruit par un tremblement de terre, explique l'aîné du groupe.

Tous se taisent, impressionnés, et regardent autour d'eux. Un tremblement de terre ! Quelle catastrophe !

— Rassurez-vous ! poursuit François. On n'aura pas de tremblement de terre cette nuit. Le phare d'Alexandrie était l'une des Sept Merveilles du monde. Mais ne me demandez pas de vous lister les six autres ! J'ai trop sommeil pour m'en souvenir !

— C'est triste, un phare éteint… fait observer Annie. Dis, Pilou, la lampe est hors d'usage maintenant ?

— Je crois qu'elle pourrait marcher encore. Personne n'y a touché.

— Annie, tu crois vraiment qu'on va allumer la lanterne là-haut, rien que pour te faire plaisir ? proteste Mick.

— Vous voulez continuer à jouer aux cartes, oui ou non ? demande François. Je vous ferai remarquer que j'ai gagné toutes les parties, jusqu'à maintenant. Si aucun de vous ne se décide à me battre, je penserai que je joue avec une bande de nuls !

Aussitôt, ses partenaires, vexés, reprennent leurs cartes en main, bien résolus à vaincre François.

— On jouera jusqu'à ce que tu aies perdu, défie Mick.

Mais personne ne peut venir à bout de l'aîné du groupe, ce soir-là.

À la fin de la cinquième partie, Annie bâille.

— Moi aussi, j'ai sommeil, affirme Mick. Mais, avant de me coucher, je prendrais bien une ou deux tartines. On a fait un repas complet à cinq heures, maintenant on peut se contenter d'un goûter !

— Ouah ! acquiesce Dagobert, heureux dès que l'on parle de manger un morceau. Berlingot, lui aussi très intéressé, se met à jacasser joyeusement.

Annie va chercher du pain, du beurre et un pot de confiture.

87

Il fait bon dans la petite cuisine du phare. Les enfants se sentent bien. Ils s'amusent beaucoup de leurs repas fantaisistes.

— Maintenant, allons nous coucher ! recommande François, quand leur en-cas est terminé.

On fait un partage équitable des couvertures.

Tout le monde se couche en un temps record.

Annie et Claude s'allongent sur un grand matelas, dans la cuisine. Bien entendu, Dagobert s'installe sur les pieds de sa maîtresse.

À l'étage au-dessous, les trois garçons s'endorment dans la chambre, avec Berlingot, roulé en boule tout près de Pilou.

Pendant que les garçons, les filles et les animaux goûtent le calme de la nuit en haut du phare, la mer mugit au-dehors et le vent siffle...

Le lendemain matin, vers neuf heures, les cris perçants des mouettes finissent par avoir raison du sommeil profond des enfants. Quand ils constatent qu'il est déjà tard, ils se dépêchent de se lever...

Tout en déjeunant, ils font des projets pour la journée.

— Il faudrait aller d'abord au village acheter de la viande, des œufs, du pain frais et une bouteille ou deux de bon lait crémeux, déclare Annie.

— On essaiera de trouver l'arrière-grand-père de notre chauffeur ; j'aimerais lui poser des questions sur le phare et sur les naufrageurs d'autrefois ! lance sa cousine.

— Moi, je voudrais bien visiter la caverne des Naufrageurs, intervient François. On va pouvoir atteindre la plage par les rochers, la marée est basse.

— Oui, mais il faudra revenir ici avant qu'elle ne remonte, fait observer Pilou. Si on laisse le bateau au pied du phare, on ne pourra plus rentrer quand les vagues recouvriront les rochers.

— Tu as raison. Dépêchons-nous de partir !

Dès qu'ils ont terminé leurs tartines, ils se mettent en route sur les rochers qui, à marée basse, émergent entre le phare et le rivage. Le chemin est difficile et glissant.

Quand enfin ils sont arrivés sur la plage, Mick questionne :

— Est-ce que l'un de vous se souvient du nom de l'arrière-grand-père de notre chauffeur ?

— Yann Le Briz, rétorque Annie. Signe particulier : il fume la pipe !

— Il doit être facile à trouver, conclut François. Venez, il est sans doute quelque part par là !

— Le voilà ! s'écrie Claude, en désignant un vieil homme avec une grosse pipe. C'est Yann Le Briz, j'en suis certaine !

En effet, c'est bien lui, assis sur un banc, face à la mer. Il porte une belle casquette de marin sous laquelle on remarque d'énormes sourcils qui lui cachent presque les yeux, et un collier de barbe, grise et drue.

Le Club des Cinq s'avance vers lui, avec Pilou,

qui porte Berlingot sur son épaule, comme toujours.

Le vieil homme retire la pipe de sa bouche et s'écrie, amusé :

— Tiens, un singe ! Une fois, il y a bien longtemps, j'en ai rapporté un comme celui-ci d'Afrique...

Il fait claquer ses doigts, émet un son de gorge très rauque. Berlingot le regarde fixement. Puis il saute de l'épaule de Pilou sur celle du vieillard, et frotte sa tête contre la casquette de marin.

— Berlingot ! s'écrie Pilou, tout surpris. Regarde, Claude ! Jamais je ne l'ai vu sauter sur l'épaule d'un inconnu !

Le vieux marin rit en grattant le cou de l'animal.

— Je me suis toujours bien entendu avec les singes ! déclare-t-il.

— Vous êtes bien M. Yann Le Briz ? questionne François.

— Oui, moussaillon ! confirme l'homme en touchant le bord de sa casquette. Comment connais-tu mon nom ?

— On est venus ici dans le taxi de votre arrière-petit-fils.

— Ah ! Bernard ?

— Oui, c'est ça, répond François. On passe quelques jours dans le phare. M. Bernard nous a dit que vous pourriez nous raconter des tas de choses intéressantes sur lui, et aussi sur les naufrageurs qui ont vécu ici.

— Oh ! je peux vous en raconter des histoires, si c'est ça que vous voulez ! déclare Yann, en soufflant un épais nuage de fumée, qui fait tousser Berlingot. J'en sais plus que mon idiot d'arrière-petit-fils qui, en dehors des voitures, ne connaît rien du tout ! Comment peut-on aimer ces tas de ferraille ? C'est sale et ça sent mauvais ! Pouah !

— M. Bernard n'est pas un idiot, conteste Mick, choqué. C'est un très bon mécanicien !

— Mais il ne s'intéresse qu'aux voitures, ces véhicules puants ! s'entête l'arrière-grand-père de Bernard.

— Et les bateaux de pêche, ça sent bon, peut-être ? le provoque Mick, qui a toujours besoin de dire ce qu'il pense.

Le petit œil gris, perdu dans la broussaille du sourcil, vire au noir.

François s'empresse d'intervenir pour empêcher l'ancien marin d'exprimer son irritation :

— On n'est pas venus pour discuter de mécanique, dit-il avec un large sourire. Monsieur Le Briz, on aimerait que vous nous parliez de ce qui s'est passé ici autrefois, au temps des naufrageurs !

— Ah ! le temps de ma jeunesse ! soupire le vieil homme. Eh bien oui, j'ai connu des naufrageurs. Il y avait le grand Laumec à l'oreille coupée qui... Mais attendez un peu. Commençons par le commencement !

91

Alors, le vieillard, ravi de faire un retour sur son passé, se met à raconter une histoire si extraordinaire que nos amis ne peuvent en croire leurs oreilles.

chapitre 12

Yann raconte

Et voici à peu près ce que dit Yann Le Briz :

— Quand j'avais votre âge, le phare du cap des Tempêtes n'existait pas encore. Alors, tous les ans, pendant la mauvaise saison, un bateau ou deux venaient se briser sur les rochers... Vous voyez cette falaise plus haute que les autres, là-bas ? Un méchant bonhomme y vivait alors. Il s'appelait Laumec. Il avait un fils aussi mauvais que lui, et un neveu qui ne valait pas mieux. On les appelait : les trois naufrageurs, et je vais vous expliquer pourquoi.

— Vous les connaissiez ? demande Mick.

— Et comment ! Il m'est arrivé, lorsque je les avais repérés de loin, de me cacher derrière un buisson. Quand ils passaient près de moi, je leur envoyais des cailloux avec mon lance-pierres... Ah ! Les bandits ! Quand je pense que tout le monde les craignait comme la peste ! Laumec n'était pas beau à voir, avec une seule oreille. On racontait qu'un singe lui avait mangé l'autre ! Si seulement votre singe pouvait avoir l'idée d'en faire autant à quelqu'un que je connais et dont je ne veux pas dire le nom...

Yann Le Briz regarde par-dessus son épaule, comme pour vérifier si l'homme auquel il pense ne se trouve pas dans les parages.

Il poursuit :

— Donc, il y avait le grand Laumec, et puis son fils, qui portait une barbe noire, et son neveu qui avait le front le plus bas que j'aie vu de ma vie ! Ils ne pensaient tous les trois qu'à une chose : l'argent ! Et quel moyen croyez-vous qu'ils ont trouvé pour s'en procurer ?

Le vieil homme crache par terre, pour mieux exprimer son dégoût, et poursuit :

— Je vais vous raconter comment ils ont amassé une fortune. Je vous dirai aussi ce qui leur est arrivé plus tard. Ce sera une leçon pour vous et pour tous ceux que ça intéresse ! Donc, vous voyez ce drapeau qui flotte dans le vent, sur la grande falaise, là-bas ?

— Oui, disent les enfants, en regardant le point indiqué.

— Eh bien, ce drapeau avertit les navires qu'ils ne doivent pas s'approcher de la côte, à cause du courant qui les entraînerait sur les rochers du cap des Tempêtes... Et alors, fini pour eux ! Quand j'étais jeune, on mettait un drapeau le jour, et on allumait un fanal – c'est une sorte de grosse lanterne – la nuit sur la falaise. Ça voulait dire : « Attention ! Danger, éloignez-vous ! » Bien sûr, tous les marins connaissaient ces signaux et, quand ils les voyaient, ils se dépêchaient de prendre le large. Mais, ça ne faisait pas l'affaire de Laumec. Il attendait les naufrages avec impatience, pour aller piller les épaves !

— Quel horrible type ! s'écrie Annie.

— Tu as raison, petite, approuve le vieillard. Comme Laumec trouvait qu'il n'y avait pas assez de naufrages, il a cherché ce qu'il pouvait faire, et, avec son fils et son neveu, il a machiné un plan épouvantable !

— Qu'est-ce que c'était ? questionne Pilou, les yeux écarquillés.

— Une nuit de tempête, il a enlevé le fanal qui brillait là où se trouve le drapeau et, avec son fils, le barbu, il l'a amené jusqu'à la falaise qui est ici, près de nous. Et vous voyez ce qui est juste au-dessous, tout autour du phare ?

— Des rochers ! Les terribles rochers du cap des Tempêtes ! dit Claude, horrifiée.

— Vous voulez dire que Laumec et les autres ont fait ça pour *tromper* les navires ?

— Exactement, confirme Yann Le Briz. Et en plus, j'ai moi-même rencontré Laumec, par nuit noire, quand la tempête faisait rage. Qu'est-ce qu'ils portent, lui et son fils ? Le fanal ! Les bandits l'avaient éteint, mais, à la lueur de ma petite lanterne, je l'ai reconnu... Malheureusement pour moi, eux aussi m'avaient vu ! Ils ont eu peur que j'aille tout raconter aux gendarmes. Alors, le barbu m'a couru après, pour me pousser par-dessus la falaise. Mais j'ai réussi à lui échapper. Vous pensez si je me suis dépêché d'aller les dénoncer ! Laumec a été mis en prison. C'était bien fait pour lui, seulement, il s'en moquait. Il était riche ! Riche !

— Comment s'était-il enrichi ? interroge Mick.

— Eh bien, mon petit gars, à cette époque, il n'y avait pas que des bateaux de pêche qui naviguaient par ici. Certains navires venaient de très loin, ils rapportaient des marchandises de grande valeur, et aussi de l'or, de l'argent et des perles... Laumec avait trouvé des richesses sur les carcasses de certains bateaux naufragés, et il savait qu'en sortant de prison il pourrait vivre de ses rentes... Plus besoin de travailler, ni même de provoquer des naufrages !

— Pourquoi ne lui a-t-on pas repris son butin ? demande François.

— Il l'avait bien caché et n'a jamais voulu dire où ! Ni son fils ni son neveu ne connaissaient son secret. Ils supposaient seulement que le trésor était quelque part dans l'une des cavernes, sous la mer. On les a mis en prison aussi, les deux jeunes, mais ils en sont sortis après quelques années. Ils ont cherché partout l'or et l'argent, et tout ce que Laumec avait pu cacher !

— Est-ce que Laumec a repris son trésor en sortant de prison ? questionne Mick, très intéressé par cette histoire.

 96

— Non, il n'en a pas profité, répond Yann en rejetant une grosse bouffée de tabac. Je suis bien content de le dire : il est mort en prison !

— Alors, qu'est devenu le trésor qui provenait des navires coulés ? Qui l'a trouvé ?

— Personne. À mon avis, il est encore à l'endroit où Laumec l'a placé. Ah ! J'ai vu le barbu et son cousin errer dans les cavernes, pendant des années ! Mais jamais ils n'ont déniché la moindre pièce d'or. Et ils mouraient de faim ! Quelle bonne blague le vieux leur avait faite. Ils sont morts, maintenant, mais le barbu a des descendants ici, au cap des Tempêtes, qui cherchent à leur tour le trésor.

— Pensez-vous que le butin soit dans la caverne des Naufrageurs, dont on nous a parlé ? demande Claude.

— Tout le monde le croit, affirme Yann en secouant sa pipe. Plus de cinq mille personnes ont été fouiller là-bas, dans l'espoir de trouver le fameux trésor ! Je peux bien vous l'avouer, j'y ai été, moi aussi. Et j'ai cherché ! Mais je n'ai pas eu plus de chance que les autres. Si ça peut vous faire plaisir, je vous y conduirai un jour. À mon avis, ce n'est pas dans cette caverne-là que Laumec a caché son or...

— On aimerait bien visiter quand même cette caverne, et aussi les autres, annonce Mick. Non pas pour trouver le trésor, bien sûr, puisque tant de gens l'ont cherché sans succès. Qui sait, quelqu'un l'a peut-être découvert et emporté sans rien dire à personne ?

— Qui sait ? répète Yann, pensivement. Alors, c'est d'accord, vous viendrez me voir quand vous voudrez. Je suis ici tous les jours, sauf quand il pleut. Et si vous voulez me faire plaisir, ce n'est pas difficile : apportez-moi un paquet de tabac, les enfants !

— On va vous en chercher un tout de suite, dit François qui ne peut s'empêcher de rire. Quel tabac fumez-vous ?

— Vous n'avez qu'à dire au buraliste que c'est pour Yann Le Briz, il vous donnera ce que je prends d'habitude. Et surtout, n'essayez pas de vous balader tout seuls dans les grottes, vous pourriez vous perdre !

— Oui. Au revoir, monsieur, et merci !

— On reviendra plus tard ! promet Pilou.

Le Club des Cinq s'éloigne. Dagobert, qui commençait à s'ennuyer, est bien content de se remettre en route.

— Allons d'abord chez le buraliste, décide Mick. Cette histoire vaut bien un paquet de tabac. Je ne sais pas si elle est tout à fait vraie, mais ce vieux marin l'a bien racontée ! En tout cas, pas la peine de penser qu'on va trouver un trésor dans les cavernes !

— Pourquoi pas ? questionne Pilou d'un air malicieux. Quand vous visiterez les grottes vous verrez qu'il peut y avoir des tas de trésors bien cachés là-dedans ! J'y ai été une fois. C'est passionnant !

chapitre 13

U ne belle matinée

— Ah, voilà un bureau de tabac, dit Claude, quand ils arrivent au village.

François entre dans la boutique. Un tout petit homme surgit d'un coin sombre, comme un diable d'une boîte.

— On voudrait un paquet de tabac pour M. Le Briz, annonce Mick.

— Voilà, jeune homme. Pour ce cher Yann ! Qu'est-ce qu'il fume, quand même…

— En tout cas, il nous a raconté une bonne histoire, dit François, en posant un billet sur le comptoir.

Le buraliste lui rend sa monnaie et dit en riant :

— Il vous a sans doute parlé des gens qu'il a connus dans sa jeunesse ? Cet homme-là n'oublie rien des événements qui ont eu lieu il y a quatre-

99

vingts ans ou plus ! Et il est rancunier ! Au village, il y a deux personnes qu'il n'aime pas du tout et, chaque fois qu'il les rencontre, il crache par terre en signe de mépris. Quand même, il y va un peu fort !

— Qui sont ces gens ? questionne Annie, étonnée.

— Ils appartiennent à la famille de son ancien ennemi Laumec, explique le marchand. Je suis sûr qu'il vous en a parlé !

— Oui, confirme Claude. Mais c'est une très vieille histoire. C'est impossible que M. Le Briz en veuille aux descendants de Laumec !

— C'est pourtant le cas. Ils sont guides. Ce sont eux qui font visiter les grottes aux touristes, l'été. Le Briz rêve encore du trésor de Laumec, et il craint que les guides ne le dénichent un jour ! Depuis le temps qu'il a été enfoui ! Personne ne trouvera plus le trésor maintenant !

— On ne sait pas, nuance Claude. S'il a été caché dans un endroit où personne n'a encore été voir... Laumec a dû le mettre à l'abri de l'eau. Il est peut-être encore en bon état. Après tout, l'or, ça ne s'abîme pas !

— C'est ce que disent tous les visiteurs, fait remarquer ironiquement le buraliste. C'est aussi l'avis de Guillaume et Mathias, les deux guides. Mais je pense qu'ils cherchent surtout à intéresser les gens qui viennent voir les grottes, et qu'en réalité ils ne croient pas vraiment à leur histoire.

Enfin, vous, les enfants, ne vous montez pas la tête. La mer a dû emporter le trésor depuis longtemps ! Au revoir ! Amusez-vous bien !

Pilou court porter son tabac au vieux Yann. Pendant ce temps, Mick dit, tout pensif :

— Après tout, c'est peut-être le buraliste qui a raison…

— Je pense, moi, que le trésor est en lieu sûr, intervient Claude. Et Pilou est de mon avis !

— Oui, mais vous êtes des gosses, réplique Mick dédaigneusement.

Il reçoit aussitôt un coup de poing de sa cousine. François se dépêche d'intervenir :

— Nous visiterons la caverne des Naufrageurs dès que possible. Comme ça, Claude pourra faire la chasse au trésor, si ça l'amuse ! Pour le moment, allons nous promener sur les falaises ; on essaiera de repérer l'endroit où était autrefois le fanal, quand il n'y avait pas encore de phare.

Ils grimpent joyeusement par un sentier abrupt. Le vent leur coupe le souffle. Berlingot se cramponne aux cheveux de Pilou, craignant d'être emporté. Dagobert court de toutes ses forces, revient voir les enfants en bondissant et repart aussitôt.

Ils arrivent au drapeau rouge qui flotte sur la falaise. Claude lit l'inscription qui se trouve en dessous :

— « Ce drapeau sert à signaler aux bateaux le danger que représentent les rochers du cap des

Tempêtes. Le phare de Loubatz éclaire la côte la nuit. Autrefois, ici même, on allumait un fanal, avant la construction d'un premier phare au cap des Tempêtes. Celui-ci existe toujours, mais il est désaffecté. »

Pilou montre du doigt la dernière phrase.

— Je vais changer ça, décrète-t-il. Il faut mettre : « mais il abrite le Club des Cinq en vacances. »

Pilou, effectivement, sort un stylo de sa poche et s'apprête à rayer les derniers mots, quand François l'en empêche :

— Ne sois pas ridicule ! Tu sais bien que c'est interdit !

— Heu... oui ! Bien sûr... je n'écris jamais sur un mur ou sur une pancarte ! J'ai seulement voulu plaisanter et voir ce que tu allais dire...

— Bon, répond François, qui n'en croit pas un mot. On distingue notre phare d'ici ?

— Non, dit Pilou. La falaise s'arrondit sur la gauche et nous cache les rochers et le phare. Je comprends que les navires soient allés s'écraser sur les rochers, quand les naufrageurs ont enlevé la lanterne de sa place – c'est-à-dire ici – et l'ont mise dans le chemin par lequel on est venus.

— Je crois que j'aurais été comme Yann... marmonne Claude. J'aurais détesté ce Laumec.

Elle imagine les beaux navires fracassés à cause d'un misérable qui voulait piller des épaves !

— Maintenant, il faut rentrer, décide François.

 102

Il est déjà tard. On a des courses à faire. Et puis, on dirait qu'il va pleuvoir.

En effet, avant qu'ils soient arrivés au village, la pluie se met à tomber. Elle est glaciale. Pour se réchauffer, ils entrent dans un café et boivent un chocolat. Près de la caisse, il y a un panier avec de beaux croissants dorés. Cette vue réveille leur appétit et ils ne peuvent résister au désir d'en manger.

Quand elle a terminé le sien, Annie dit :

— Il faut qu'on achète des cartes postales. Le mieux serait d'en envoyer une tout de suite à tante Cécile. Pourquoi ne pas l'écrire ici ?

Cette proposition étant approuvée de tous, Mick sort du café et revient bientôt avec un paquet de cartes colorées. Sur quelques-unes, on peut voir le phare du cap des Tempêtes.

— Comme ça, maman se fera une idée exacte de notre phare, se réjouit Claude en choisissant une carte. Et toi, Pilou, laquelle veux-tu pour ton père ? Celle-ci ? Bon. Et pour ta mère ?

— Maman est morte quand j'étais tout petit. C'est pourquoi mon père et moi, on ne se sépare jamais !

— Oh… murmure Annie attristée.

Elle éprouve le besoin de faire quelque chose pour le pauvre garçon :

— Tu veux un autre croissant ? Je te l'offre, propose-t-elle généreusement.

— On va tous en reprendre un, décide François,

103

qui a encore faim. Dagobert et Berlingot aussi !
Ensuite, on fait nos courses et on rentre à la maison... Enfin, je veux dire : au phare !

Ils écrivent trois cartes, la première à Cécile Dorsel, la seconde à Sylvie, et la troisième au professeur Lagarde.

La pluie vient de cesser. Ils vont acheter du pain, du beurre, des œufs, des côtelettes, du lait et des fruits, puis ils retournent vers la plage.

— La marée commence à remonter, fait remarquer Mick, tandis qu'ils abordent leur sentier rocheux. J'ai l'impression qu'on a juste le temps d'arriver au phare. Pilou, ne secoue pas trop tes œufs, tu vas faire une omelette !

Ils passent sur les rochers, sautant quelquefois par-dessus de grosses flaques et évitant les endroits couverts d'algues. De tout près, le phare leur semble colossal.

— Pourtant, il est petit comparé au nouveau, souligne Pilou. Il faudra que vous alliez le visiter ! Vous verrez sa lanterne tournante : génial ! Sa lumière porte très, très loin sur la mer !

— Ce petit phare me semble bien suffisant pour le moment, répond Mick, tout en escaladant les marches de pierre qui conduisent à la porte d'entrée. Tiens, il y a deux bouteilles de lait devant la porte. C'est possible que le laitier soit passé ici ?

— Il venait quand mon père et moi habitions le phare, dit Pilou. Mais seulement quand la marée était basse au moment de sa tournée, car il n'a pas de bateau. Il a dû entendre parler de nous ; alors il est venu voir si on voulait du lait. Et comme on n'était pas là, il a laissé deux bouteilles.

— Dans ce cas, il est sympa, estime Mick. Qu'est-ce que tu attends pour ouvrir la porte ?

— Je ne l'ai pas fermée ce matin en partant, explique le garçon, qui fouille en vain ses poches. J'ai dû laisser la clé dans la serrure, à l'intérieur...

— C'est vrai. Une fois la porte ouverte, tu es parti en courant avec Claude, et on vous a suivis, se rappelle François. Annie est sortie la dernière. Tu as fermé la porte à clé, Annie ?

— Non, je n'y ai même pas pensé, avoue la fillette. J'ai claqué le battant derrière moi et j'ai couru après vous...

— Alors c'est ouvert ! conclut Claude en s'avançant.

La porte s'ouvre sans résistance, mais quand elle est dans le phare, elle constate avec surprise que la clé n'est pas dans la serrure !

L'adolescente regarde par terre, au cas où elle serait tombée. Elle ne voit rien. Alors elle se retourne vers les autres enfants :

— Quelqu'un est entré ici, dit-elle, le front soucieux, la clé a disparu et probablement d'autres choses aussi... Allons vite voir si on a touché à nos affaires !

— Attends, il y a une lettre sur le paillasson, dit Mick. Elle vient de Kernach. Le facteur est passé, lui aussi ! Donc deux personnes au moins sont venues ici en notre absence. Mais je ne crois pas qu'un laitier ou un facteur prendrait quoi que ce soit !

— Montons ! décide François impatiemment.

chapitre 14

Exploration

Les enfants inspectent les deux pièces d'habitation du phare. Les Cinq regrettent de ne pas avoir vérifié si Pilou fermait bien la porte derrière eux !

— Oui, on nous a volés ! Mon sac de couchage a disparu, s'écrie Claude.

— Mon porte-monnaie ! gémit Annie. Je l'avais oublié sur la table !

— Mon réveil ! Il n'est plus là ! constate François. Je n'aurais jamais dû l'emporter... Ma montre aurait pu suffire !

D'autres objets ont disparu.

« Qui peut nous vouloir du mal, au point de nous voler en notre absence ? » se demande Annie, sur le point de pleurer.

— Il n'y a rien à faire pour le moment. Déjeunons ; ensuite, on ira au village en bateau, puisque la marée sera haute. Moi qui avais envie de me reposer cet après-midi !

Après le repas, François et Claude prennent le canot et rament jusqu'au rivage. Il vont tout droit à la gendarmerie. Là, ils sont reçus par le brigadier qui les écoute calmement, et note leur plainte dans un cahier.

— Soupçonnez-vous quelqu'un ? questionne-t-il.

François hésite quelques secondes.

— Non, dit-il enfin. Quand on est revenus au phare, on a trouvé deux bouteilles de lait sur les marches. En plus, il y avait une lettre pour nous sur le paillasson, à l'intérieur. Donc le laitier et le facteur sont passés en notre absence. Je ne vois pas qui, en dehors d'eux, a pu venir.

— Le laitier et le facteur sont au-dessus de tout soupçon, je les connais personnellement, déclare nettement le brigadier. Il y a eu sans doute un troisième visiteur qui, lui, n'a pas laissé sa carte de visite ! Je vais essayer de savoir si quelqu'un aurait aperçu votre voleur se dirigeant vers le phare. Vous ne voyez vraiment pas qui a pu faire le coup ?

— Non, dit François. On ne connaît personne ici, sauf M. Yann Le Briz et le buraliste.

— Ceux-là ne peuvent pas non plus être coupables, conclut le brigadier en souriant. Je vais m'occuper de vous. Quand j'aurai du nouveau, je vous tiendrai au courant. Maintenant que vous n'avez plus de clé, méfiez-vous ! Laissez toujours quelqu'un au phare, puisque vous savez qu'il y a des voleurs dans les parages !

— Oui, j'y avais pensé, réplique Claude. On peut tirer le verrou quand on est à l'intérieur, mais de l'extérieur, on ne peut plus fermer la porte.

— Je crois que le temps va se gâter, dit le brigadier. Vous serez mieux dedans que dehors ! J'espère que vous n'êtes pas trop mal dans ce phare. C'est quand même un drôle d'endroit pour camper !

— On y est très bien, assure l'aîné des Cinq en quittant le commissariat.

L'après-midi est maussade. Il pleut sans arrêt. Les habitants du phare jouent aux cartes pour passer le temps, mais ils ont du mal à se concentrer. Ils pensent souvent au voleur. Bien entendu, ils ont tiré le verrou, et se sentent ainsi en sécurité.

— J'ai envie de me dégourdir les jambes, déclare Claude, quand elle en a assez de jouer à la bataille. Je vais monter et descendre plusieurs fois l'escalier, ce sera un excellent exercice !

— Eh bien, vas-y ! rétorque Mick. Personne ne t'en empêche.

— Est-ce que les fondations sont profondes ? demande la jeune fille.

— Oui, il paraît, répond Pilou. Mon père m'a dit que la base du phare est creusée très profondément dans le roc.

— Évidemment, il faut des fondations très

109

solides, pour qu'il puisse résister aux plus effroya-
bles tempêtes ! analyse Annie.

— Mon père a trouvé un vieux plan, je ne sais
où, affirme Pilou. Un plan du phare, dessiné au
moment de sa construction.

— Comme ceux que font les architectes quand
ils bâtissent une maison ? questionne la benjamine
du groupe.

— Oui. Quelque chose comme ça. On y voit les
pièces d'habitation, la lanterne au-dessus, et, en bas
du plan, le détail des fondations.

— On peut y descendre ? interroge Mick. Il y a
un escalier ou une échelle ?

— Je n'en sais rien. Nous n'avons jamais été voir
ça.

— Tu sais où est le vieux plan dont tu parles ?
questionne François, subitement très intéressé.

— Je ne sais pas où mon père l'a mis... Laissez-
moi réfléchir... Il est peut-être en haut, près de la
lanterne. Je me souviens que mon père est monté
avec le plan parce qu'il comportait des indications
sur la façon de faire fonctionner la lampe. Il trouvait ça drôle !

— Je vais voir là-haut si je peux le trouver,
décide François. Tu viens avec moi, Pilou ?

Tous deux grimpent jusqu'à la lanterne. De
nouveau, François s'extasie sur la vue magnifique
qui s'offre à eux. La pluie vient de cesser, mais le
ciel gris promet d'autres averses. La mer couleur

110

de plomb lance de grosses vagues à l'assaut des rochers.

Pilou entreprend des recherches dans un coin sombre, sous la lanterne. Cela dure un certain temps. Enfin, il ramène à lui un rouleau de papier et le tend à François.

— Voilà le plan ! annonce-t-il, tout heureux.

Quand ils sont redescendus dans la cuisine, ils étalent le papier sur la table. C'est bien le plan du phare.

— Les architectes dessinent tellement bien ! s'écrie Claude, admirative.

— Ils apprennent à dessiner, ça fait partie de leur formation, explique François. Vous avez vu les fondations ! Elles sont encore plus massives que je ne l'imaginais !

— Les grands bâtiments comme celui-ci ont toujours une base très solide et profonde, commente Mick. Récemment, en classe, on a étudié comment...

— Ne parle pas d'école, interrompt Annie. C'est les vacances, je te rappelle ! Alors, Pilou, est-ce qu'on peut descendre jusqu'aux fondations ?

— Je n'en sais rien, répète Pilou. Et puis, ce doit être un endroit horrible, qui sent mauvais...

— J'aimerais aller voir, affirme Claude en se levant. Je m'ennuie tellement que je sens que, si je ne fais pas quelque chose, je vais m'endormir ! Vous venez ? Descendons et voyons ce qu'il y a en bas !

Annie n'est pas très emballée par cette idée, mais les autres se précipitent dans l'escalier, suivis de Dagobert... Quand ils sont en bas, Pilou les conduit du côté opposé à l'entrée du phare, et leur montre une trappe ronde, dans le sol.

— C'est par là qu'il faut passer pour descendre dans les fondations, explique-t-il.

Ils ouvrent la trappe, assez large, et regardent en bas. Ils ne voient qu'un trou noir...

— Je suis bête ! J'ai oublié ma lampe de poche ! s'exclame François. Attendez-moi, je vais la chercher !

Quand il revient, l'aîné des Cinq éclaire le puits. Une échelle de fer court sur l'un des côtés. Mick descend quelques échelons.

— Les parois semblent très épaisses, observe-t-il. Elles sont cimentées.

Prudemment, il continue sa descente. Il se demande pourquoi ce puits n'a pas été rempli.

Un bruit étrange monte jusqu'à lui. Une sorte de gargouillement. Qu'est-ce que ça peut être ?

Il dirige sa lumière vers le bas, et constate avec étonnement qu'en fait, il y a de l'eau dans le puits, de l'eau qui s'engouffre... D'où vient-elle ?

Tandis qu'il la scrute, l'eau se retire – puis revient. Il descend encore quelques marches pour essayer de découvrir la clé du mystère.

« Il y a sûrement un passage en bas, qui laisse entrer la mer... pense-t-il. C'est la marée haute en ce moment... Où conduit ce passage ? Est-ce qu'il est constamment inondé ? Il faut que j'en parle aux autres. On examinera ensemble le plan plus attentivement… »

Il remonte, heureux de sortir de ce trou noir et puant. Les autres l'attendent à la sortie, impatients.

— Tu as vu quelque chose d'intéressant ? demande Claude.

— Oh oui ! répond Mick, en se hissant hors du trou. Où est le plan ? Je voudrais le regarder encore.

— Pilou l'a pris avec lui, il vaut mieux qu'on remonte, dit Annie. On y verra plus clair là-haut. Raconte vite ce que tu as vu dans ce puits !

— Attends qu'on soit dans la cuisine, tempère Mick.

Dès qu'il y est, il prend le plan des mains de Pilou et se met à l'examiner avec attention. Il pose son doigt sur ce qui représente le puits, descend, et s'arrête à une marque ronde, dessinée dans le bas.

— Vous voyez ce rond ? C'est un trou par lequel la mer entre et sort ! La marée est haute maintenant, alors l'eau monte dans le puits ; mais il y en a peu. À marée basse, l'eau ne pénètre sans doute pas. J'aimerais savoir où conduit ce passage sous la mer ! Est-ce qu'il remonte directement à la surface, dans les rochers ? Est-ce qu'il rejoint les cavernes ?

— On pourrait l'explorer à marée basse, non ? s'écrie Claude.

113

— Avant, il faut être absolument sûrs qu'on ne risque pas de se noyer, intervient François.

— Intéressante découverte, non ? lance Mick, qui replie soigneusement le plan du phare. Je pense que le puits est resté creux pour éviter que la pression trop forte de la mer n'endommage les fondations. Si l'eau montait dans le puits, elle finirait par le détruire !

— Qu'est-ce que c'est que ce bruit ? murmure Annie, qui soudain pâlit, effrayée.

Une voix grave retentit dans l'escalier :

— Il y a quelqu'un, ici ?

Guillaume a des ennuis

— Qui crie comme ça ? questionne Annie, toute tremblante. Pourvu que ce ne soit pas notre voleur !

François va jusqu'à la porte et demande, en se penchant vers l'escalier :

— Qui est là ?

— C'est le brigadier, répond la grosse voix.

— Ouf ! Montez ! invite François, rassuré.

Des pas lourds gravissent lentement les marches. Enfin, le brigadier apparaît, salue le groupe et attend d'avoir repris son souffle pour parler.

— Comment vous êtes entré ici ? interroge Claude. On avait poussé le verrou !

— Il ne tient pas, votre verrou, explique le brigadier, en s'épongeant le front. Ce n'est pas une

115

protection suffisante. Il faut vous procurer une nouvelle clé.

— Comment avez-vous pu venir jusqu'ici ? La marée est haute, remarque François. Vous n'avez pas pu passer sur les rochers...

— Non, en effet. Je suis venu en bateau.

— Vous avez arrêté le voleur qui a emporté notre clé et nos affaires ? demande Annie.

— Non, mais je crois savoir qui a fait le coup. Par chance, une vieille dame dont les fenêtres donnent sur la plage a vu quelqu'un prendre le chemin des rochers et aller jusqu'au phare.

— Et ce n'était ni le facteur ni le laitier ? interroge Mick.

— Non, vous ne connaissez pas cet individu, dit le brigadier. C'est un certain Guillaume, qui descend d'une famille de naufrageurs célèbres dans le pays...

— M. Le Briz nous a parlé des naufrageurs, réagit Claude. Il y avait Laumec, son fils et son neveu...

— Exactement. Laumec vivait il y a longtemps, quand Le Briz était jeune. Guillaume, l'homme qui se dirigeait tout à l'heure vers le phare, serait son arrière-petit-fils... Le portrait tout craché de Laumec, d'après ceux qui l'ont connu !

— Vous dites que c'est Guillaume qui serait rentré ici ? Pourquoi ne lui avez-vous pas fait rendre la clé qu'il nous a prise et tout le reste ?

— Justement, je suis venu pour demander que

l'un de vous me suive afin d'identifier vos affaires, explique l'homme. Espérons que nous les trouverons chez lui. Il les a peut-être déjà cachées ailleurs ! Qui peut venir avec moi ?

— Moi, décide François. Je suis l'aîné.

— Parfait, dit le gendarme.

Ils partent. Quand la porte s'est refermée sur eux, Claude s'exclame :

— Quand on pense que c'est l'arrière-petit-fils de cet affreux Laumec qui est venu nous voler ! Quelle famille de…

— J'aimerais aller voir la caverne des Naufrageurs demain, l'interrompt Mick. Yann Le Briz a dit qu'il nous la ferait visiter quand on le voudrait !

— Il y a peut-être un ancien naufrageur qui s'y cache ! murmure Annie. Plus vieux que M. Le Briz, avec une barbe jusqu'aux pieds et des yeux de poisson… Une sorte de vieux génie de la mer !

— Annie, tu rêves éveillée, la taquine sa cousine.

— Je voudrais bien être à la place de François pour savoir plus vite ce qui va se passer ! soupire Pilou.

Comme il faut prévoir le retour de François, celui-ci et le brigadier prennent chacun leur bateau. Ils arrivent bientôt sur la plage, puis ils s'acheminent ensemble vers la maison de Guillaume. Là, le gendarme découvre tout de suite les objets volés : le sac de couchage, le réveil, et le porte-monnaie d'Annie, vide, malheureusement ! Le brigadier s'approche du coupable.

— Qu'avez-vous fait de la clé, Guillaume ? Ce n'est pas la peine de nier ! Rendez-la !

— Je ne l'ai pas prise, répond l'homme, hargneux.

— Si vous refusez de rendre la clé, vous allez me suivre à la gendarmerie. Vous serez fouillé.

— Vous pouvez me fouiller tant que vous voudrez, vous perdrez votre temps ! Je vous dis que je ne l'ai pas prise ! Qu'est-ce que vous voulez que j'en fasse ?

— Ce que vous en faites d'habitude ! réplique le brigadier. Ce n'est pas la première fois que vous vous entrez chez les gens pour les voler. Allez, suivez-moi !

Malheureusement, à la gendarmerie, on ne trouve pas la clé sur Guillaume.

Le brigadier dit à François :

— Si j'étais à votre place, je ferais changer la serrure le plus rapidement possible. Guillaume a sûrement caché votre clé quelque part. Il s'empressera de retourner au phare dès que vous sortirez.

— Je vous dis que je n'ai pas pris cette clé ! Je n'en ai même pas vu là-bas ! crie Guillaume.

— Pas la peine de hurler, riposte le gendarme.

Puis il s'adresse à l'aîné des Cinq :

— Vous pouvez disposer, jeune homme. Nous allons encore une fois passer au peigne fin la maison de ce lascar…

François se remet en route, soucieux. Il retrouve son canot, sur la plage. Tout en ramant pour atteindre le phare, il réfléchit. Dès que possible, il faut trouver un serrurier et lui demander de venir poser une nouvelle serrure à la porte d'entrée. En attendant, le Club des Cinq doit toujours laisser l'un de ses membres au phare, pour le garder.

Quand il est de retour, il raconte aux autres tout ce qui s'est passé. Chacun est heureux de retrouver ce qu'on lui a pris. Seule, Annie est déçue en recevant son porte-monnaie vide...

— On fera changer la serrure pour que personne ne puisse s'introduire ici avec la clé volée, conclut François.

— Il est tard, intervient Claude. On n'a pas encore goûté. Vous voulez de la brioche, avec du beurre et de la confiture ?

Cette proposition est bien accueillie. Ils continuent à discuter tout en savourant ces bonnes viennoiseries.

— Allons voir M. Le Briz, demain, propose Mick. S'il a entendu parler du vol, il aura peut-être quelque chose d'intéressant à nous dire.

— On lui demandera aussi de nous montrer la caverne des Naufrageurs, ajoute François. C'est quoi, les noms des deux guides ? L'un d'eux s'appelle justement Guillaume, non ?

— C'est ça. L'autre s'appelle Mathias, complète Claude. Espérons que Guillaume sera en prison. Je

119

n'aimerais pas le rencontrer quand on visitera les cavernes !

— Il nous regarderait de travers, confirme Annie.

— Et on le lui rendrait bien ! achève Claude, avec un coup d'œil de défi, qui fait rire ses cousins.

— Il faut trouver un serrurier, affirme Mick. Qui veut m'accompagner au village ?

— Moi, je viens ! annonce Claude. J'ai besoin de respirer un peu d'air frais.

— Moi, je préfère rester ici et finir mon livre, dit Annie.

François, fatigué de son expédition, ne désire pas ressortir. Quant à Pilou, il joue avec Berlingot et n'a pas l'intention d'interrompre sa partie.

— Comme ça, le phare sera bien gardé, remarque Claude.

Elle descend l'escalier, suivie de Mick.

Au village, le serrurier promet de venir au phare dès qu'il le pourra, mais avertit les enfants qu'il a beaucoup de travail.

— Ne comptez pas sur moi avant un jour ou deux, conclut-il.

Mick et sa cousine reviennent au phare, ferment la porte du mieux qu'ils peuvent et montent dans la cuisine. Dagobert les accueille avec des jappements bruyants. Berlingot s'élance du dossier d'une chaise sur l'épaule de Mick.

— Il faut attendre que le serrurier ait le temps de

120

venir, explique Claude. J'aimerais bien qu'on aille tous ensemble visiter les cavernes demain matin, mais comment faire, avec cette porte qu'on ne peut pas fermer ?

— Ouah ! intervient Dagobert.

— Oh ! Il dit : « Pourquoi ne pas me laisser ici pour garder le phare ? » traduit sa maîtresse, fière de l'intelligence de son fidèle compagnon.

— Ouah ! répète le chien. Ils éclatent tous de rire.

Mick caresse son museau.

— D'accord, mon vieux Dago, accepte-t-il. Tu garderas le phare, et comme récompense, je te promets un bel os !

— C'est vrai que c'est une bonne solution, reconnaît François. Grâce à Dago, on pourra partir l'esprit tranquille. Bon courage à celui qui cherche-rait à s'introduire ici en notre absence !

— Il faudra se méfier, dans les grottes, prévient Annie. Apparemment, les descendants de Laumec sont aussi méchants que le vieux naufrageur !

— Oui, certainement, murmure François, pen-sif. On se tiendra sur nos gardes !

chapitre 16

Dans les cavernes

Le lendemain matin, Claude se réveille brusquement. Dagobert la pousse du museau. Visiblement, il veut attirer son attention sur quelque chose d'important.

— Qu'est-ce qu'il y a, Dago ? grommelle l'adolescente.

Dagobert répond par un aboiement, et court vers l'escalier.

— Va voir les garçons et fais-leur comprendre ce que tu veux, conseille sa maîtresse en se renfonçant sous son duvet.

Dagobert descend l'escalier et s'arrête dans la chambre où dorment les trois garçons. Il s'approche de François et le réveille, à coups de tête répétés. François grogne et s'étire.

— Ah ! C'est toi, Dag… Qu'est-ce que tu veux ?

123

— Ouah ! Ouah ! fait le chien, énergiquement.

Puis il s'élance dans l'escalier et gagne le rez-de-chaussée.

« Tiens ! Il a entendu quelqu'un… » se dit l'aîné du groupe, en bâillant.

Il se résigne à se lever, et à rejoindre Dagobert. Le verrou de la porte est toujours tiré. Il ne voit rien d'anormal dans le phare ; alors, il ouvre la porte pour jeter un coup d'œil au-dehors. Sur la première marche, il y a deux bouteilles de lait.

— Eh bien, Dago, c'est bête de m'avoir réveillé à cause du laitier, gronde gentiment François.

Il prend les deux bouteilles et rabat le verrou.

« Ce laitier est vraiment sympa de livrer son lait jusqu'ici », pense-t-il.

Comme il est bien réveillé et que la faim lui donne déjà des tiraillements d'estomac, il décide de préparer le chocolat chaud et de secouer tous les dormeurs pour le petit-déjeuner.

Après quelques grognements au moment du réveil, chacun retrouve le sourire en engloutissant de nombreuses tartines de beurre et de confiture. Le chocolat au lait est onctueux et mousseux. Comme l'a prévu Pilou, ce séjour leur donne à tous un énorme appétit !

Berlingot trempe une patte dans la confiture, puis la lèche. Pour le corriger de ces mauvaises manières, Pilou lui donne une petite tape et l'animal se sauve, laissant partout sur son passage des empreintes poisseuses.

Après une chasse mouvementée, les enfants réussissent à encercler Berlingot. Quand il se sait cerné, il se laisse tomber sur l'épaule de Pilou et s'accroche à son cou désespérément.

— De mieux en mieux ! s'écrie ce dernier. Essuie tes pattes sur moi, crétin !

Quand le garçon et son singe sont enfin débarrassés de leurs traces collantes, les enfants font rapidement le ménage puis songent à sortir.

— On dirait qu'il y a beaucoup de vent, aujourd'hui, fait remarquer Mick.

— Couvrons-nous bien ! réagissent les autres, en chœur.

— Ouah ! fait Dagobert, pour marquer son approbation.

Avant de partir, Annie écrit une carte à sa tante.

— Je ne parle pas du vol, explique-t-elle à ses frères. Tante Cécile serait angoissée, et peut-être qu'elle nous demanderait de rentrer immédiatement ! Et que penseraient oncle Henri et le professeur Lagarde ?

— Ils ne doivent pas s'ennuyer, ces deux-là, commente Mick avec un sourire en coin. Tante Cécile est sûrement obligée de les appeler vingt fois pour les arracher à leurs chiffres au moment des repas !

Quand tout le monde est prêt à partir, Dagobert s'élance vers l'escalier. Il aime tant se promener !

— Mon pauvre Dago, il faut que tu restes ici,

125

pour garder le phare en notre absence, lui dit Claude. On n'a pas de clé. De l'extérieur, on ne peut pas tirer le verrou... Garde la maison ! Tu sais ce que ça veut dire, hein ?

Les oreilles de Dagobert retombent tristement ; il donne un petit coup de patte à sa maîtresse, comme pour lui dire : « S'il te plaît, ne m'oblige pas à rester tout seul ici ! »

— Garde la maison, répète la jeune fille, fermement. C'est une drôle de maison, mais tu en es responsable. Ne laisse entrer personne. Couche-toi sur le paillasson et attends-nous.

Dago observe François et Annie, comme s'il attendait d'eux un secours, puis se résigne à obéir. Il se couche sur le paillasson, et met son museau sur ses pattes. Il regarde toujours Claude avec une expression triste et soumise dans ses beaux yeux marron.

Sa maîtresse lui fait une dernière caresse et ils quittent tous le phare.

La marée basse leur permet de passer par les rochers pour gagner la plage.

Ils aperçoivent de loin le vieux Yann qui rêve en fumant la pipe. Quand ils sont près de lui, Mick dit poliment :

— Bonjour, monsieur Le Briz.

— Bonjour, les enfants, lance Yann. Bonjour, singe ! Oh ! Te voilà qui sautes sur mon épaule !

Les enfants éclatent de rire en voyant Berlingot

se pencher sur l'oreille velue du vieux marin comme pour lui dire un secret.

Quand leur fou rire est calmé, François prend la parole :

— On voudrait bien visiter les grottes aujourd'hui, déclare-t-il. En particulier la caverne des Naufrageurs.

— Je ne vous conseille pas de prendre Mathias pour guide, prévient le vieux. Il est capable de voler les boutons de votre veste sans que vous vous en aperceviez ! Maintenant, si vous voulez que je vous fasse visiter les grottes, moi, je vous montrerai des tas de choses que ces deux vauriens ne connaissent même pas !

— Bien sûr, on est tout à fait d'accord pour vous prendre comme guide, répond Claude. D'ailleurs, Mathias doit être furieux qu'on ait dénoncé son frère à la police…

Le vieux Yann se lève avec une étonnante agilité.

— Allons-y ! dit-il en se mettant gaillardement en marche. Suivez-moi !

Tout le monde lui emboîte le pas sans se faire prier. Berlingot reste sur l'épaule du grand-père Le Briz tout le long du trajet. Ils rencontrent quelques personnes qui se retournent avec curiosité sur leur passage. Le vieil homme paraît ravi.

Il amène sa petite troupe au pied d'une falaise, qu'ils contournent. Ils arrivent alors sur une plage

127

rocailleuse. Yann se dirige vers un trou béant, au flanc de la falaise.

— Voilà l'entrée des grottes, dit-il. J'espère que vous avez des lampes de poche ?

— Bien sûr, réplique Claude. On a chacun la nôtre. Est-ce que la visite est payante ?

— Non. Les gens donnent un pourboire à Guillaume ou à Mathias, pour faire le tour des cavernes. Je me charge de Mathias. Ne gaspillez pas votre argent avec ce gars-là !

Ils suivent une galerie qui les conduit à la première grotte, de belles dimensions. Quelques lanternes accrochées aux parois l'éclairent faiblement.

— Faites attention, maintenant, avertit Yann. Le sol est glissant par endroits. Venez par ici ! Passez sous l'arche !

Il fait froid et humide dans la grotte, et les enfants avancent prudemment, pour éviter de marcher sur les algues laissées par la mer. Puis, soudain, Yann tourne et s'enfonce dans une voie tout à fait différente : ils descendent, descendent profondément dans les entrailles de la terre !

— Eh bien, on se dirige vers la mer, on dirait, analyse François, surpris. Les cavernes s'étendent donc sous l'eau ? Et non pas dans la falaise ?

— Exact, confirme Yann. Le chemin que nous prenons conduit à des cavernes creusées très profondément dans le roc, sous la mer. Si vous prêtez l'oreille, vous pouvez déjà entendre le bruit des vagues au-dessus de votre tête !

À cette pensée, les enfants éprouvent une drôle de sensation. Annie observe la voûte de la galerie avec crainte et dirige vers elle la lumière de sa lampe de poche, comme pour vérifier qu'il n'y a pas de menace d'effondrement ! Mais non, elle ne voit sur le roc qu'un peu de moisissure.

Berlingot, frileux comme tous les singes, n'apprécie pas du tout cette promenade. Il se met à protester, de plus en plus fort. Non seulement il a froid, mais surtout la peur le gagne. Comme personne ne fait attention à lui, il se fâche et pousse le cri le plus perçant dont il est capable.

— Idiot ! Tu m'as fait peur ! se fâche Annie. Oh ! Vous entendez ? Le cri de Berlingot résonne dans la galerie ! On dirait une centaine de singes criant à la fois ! Nos voix font écho aussi !

Berlingot, épouvanté, se met à pleurer comme un tout petit enfant et s'accroche désespérément à Pilou.

— N'aie pas peur, tu ne risques rien avec moi, le réconforte son maître en le serrant dans ses bras.

— Vous n'avez encore rien entendu. L'écho est bien plus sonore après le deuxième tournant, annonce Yann.

Quand tout le monde est arrivé à cet endroit, le vieillard pousse un hurlement qui se répète dix fois. Le tunnel semble plein de cris. De terreur, Berlingot

129

lâche Pilou, saute à terre et s'enfuit à toute vitesse sur ses petites pattes...

— Berlingot ! Reviens ! Tu vas te perdre !

— Te perdre ! Te perdre... répète l'écho.

— Ne t'inquiète pas pour ton singe, le rassure Yann. Il saura bien nous retrouver, quand il sera remis de sa frousse !

— Je vais attendre ici qu'il revienne, décide Pilou, la voix tremblante d'émotion.

— On ne peut pas te laisser tout seul ! s'oppose François. Allez, viens !

Pilou les suit, à regret. Ils débouchent dans une grotte, éclairée également par de pauvres lanternes. En approchant, ils ont entendu un murmure de voix, et se demandent qui se trouve là.

Ils voient trois personnes en short et en baskets – des visiteurs, sans doute – accompagnées par un grand gaillard à cheveux noirs et drus, l'air très antipathique. Les enfants pensent qu'il s'agit de Mathias, le frère de Guillaume.

Dès que Mathias – car c'est bien lui – aperçoit le vieux Yann, il rugit :

— Dégage ! C'est mon boulot de montrer les grottes. Venez par ici, les mômes !

Mais Yann n'a pas la langue dans sa poche et il répond à son ennemi par des insultes. Les enfants croient devenir sourds, tant les injures échangées sont amplifiées par l'écho. Les touristes, craignant que les deux hommes n'en viennent à se battre, retournent vers la sortie.

Annie attrape son frère par le bras.

— Ils ne vont pas se bagarrer, dis ? souffle-t-elle. Pauvre Yann, à son âge, il ne peut pas se défendre...

Mais le vieillard ne semble pas du tout impressionné. Pourtant, Mathias s'avance vers lui, le poing levé. Il vocifère :

— Je t'ai dit cent fois que je ne voulais pas te voir ici ! C'est moi qui suis guide, compris ? Moi et mon frère Guillaume...

— Toi et ton frère Guillaume, vous êtes deux crapules, complète Yann.

Il crache par terre et tourne le dos à l'homme en furie.

— Attention ! prévient Claude, épouvantée.

Mathias fonce sur Yann, prêt à le frapper...

chapitre 17

Berlingot fait une trouvaille

Yann se retourne et saute de côté avec une étonnante souplesse. L'autre, emporté par son élan, glisse sur des algues et va s'étaler de tout son long dans un coin de la grotte.

Des rires, amplifiés par l'écho, retentissent alors...

— Bravo ! lance le vieil homme, enchanté. Allons, relève-toi, Mathias ! Je t'attends !

Mathias se relève, l'œil mauvais, et semble hésiter.

— Alors, le provoque Yann, qu'est-ce que tu attends ? Si ça t'amuse de frapper un grand-père, vas-y !

Mais Mathias se contente de frotter son épaule endolorie.

— Venez, dit le vieux marin à ses jeunes

133

compagnons. Je vais vous conduire à la caverne des Naufrageurs. Tu viens avec nous, Mathias ? Ou bien préfères-tu rentrer chez toi et te faire masser l'épaule ?

Le guide s'aperçoit alors que ses clients l'ont abandonné. Il va s'assurer qu'ils ne l'attendent pas dans une galerie voisine, et revient en grommelant. Il décide de suivre le petit groupe, en proférant tout haut des menaces et des remarques grossières.

Claude regrette bien son cher Dagobert ! Il les aurait vite débarrassés de ce malpoli !

— Ne nous occupons pas de lui, conseille François. Suivons M. Le Briz. Qu'il fait noir dans cette galerie ! Heureusement, j'ai ma lampe de poche !

La galerie, très longue, débouche enfin sur une grande et haute caverne. Dans les parois se trouvent des sortes de rayonnages – sculptés dans le roc par la nature – sur lesquels on peut voir de vieux sacs, des paniers et des boîtes poussiéreuses.

— Qu'est-ce que c'est que ça ? questionne Mick, en éclairant ces objets pour mieux les examiner.

— Des sacs et des paniers, comme vous pouvez le voir, répond Yann. C'est Guillaume qui les a amenés ici pour tromper tout le monde ! Lui et son frère racontent aux étrangers que les naufrageurs les ont rapportés autrefois des navires échoués ! Ceux qui croient ces bêtises sont bien naïfs. Tous ces objets traînaient dans le fond de la cour de Guillaume ! Ha ! ha ! ha !

Le rire du vieillard roule dans le souterrain. Mathias répond par un grondement qui rappelle beaucoup celui de Dago, quand il se met en colère.

— Moi, je ne raconte pas des sottises, reprend Yann. Je sais où sont les *vraies* affaires des naufrageurs. Oui, je le sais !

— Elles ne valent pas mieux que les boîtes et les sacs qui sont ici, riposte Mathias. Et puis, surtout, tu n'es qu'un menteur, Le Briz ! Tu ne sais rien du tout !

— Continuons, encourage Mick. Il y a sûrement d'autres cavernes à voir. C'est très intéressant. Est-ce vraiment ici que les naufrageurs cachaient leur butin ? Ou ce n'est qu'une légende ?

— C'est bien ici, dans cette caverne ; mais Guillaume et Mathias l'ont un peu arrangée. En continuant, on trouve d'autres grottes. Moi, je les connais comme ma poche ! Mathias ne peut pas en dire autant. Il a bien trop peur d'aller si loin sous la mer ! Pas vrai, Mathias ?

L'homme répond par une injure. Claude se tourne vers Yann :

— S'il vous plaît, montrez-nous les autres cavernes. À moins que ce ne soit trop dangereux !

— En tout cas, moi, je continue, déclare Pilou, fermement. Berlingot n'est pas revenu. Il faut que je le retrouve !

François comprend que Pilou partira seul à la recherche de son singe, plutôt que de l'abandonner.

135

— C'est bon, Pilou, dit-il. On ira avec toi. Monsieur Le Briz, quel est le chemin ?

— La marée ne montera pas avant un certain temps. On peut y aller ! juge Yann. À marée haute, la mer envahit la galerie que nous allons prendre et s'arrête avant la caverne des Naufrageurs.

Tout le monde se remet en route. Le bruit de la mer résonne de façon étrange et sinistre dans la galerie. Les lampes de poche révèlent des parois bosselées, irrégulières, avec des trous profonds.

— L'endroit rêvé pour cacher un trésor... commente Claude. Mais franchement, je me demande qui aurait le courage d'explorer tous les creux, toutes les fissures ! Et puis, qu'est-ce qu'il fait froid ici !

— On dirait que le bruit de la mer devient de plus en plus fort ! remarque Mick, impressionné.

— J'espère qu'on va vite retrouver Berlingot, chuchote Annie à sa cousine.

Les enfants s'arrêtent pour examiner sur le sol quelque chose qui ressemble à une petite méduse. Mathias heurte Mick. Celui-ci se retourne :

— Suivez-nous si vous voulez, dit-il, mais pas la peine de me rentrer dedans !

Mathias ne répond pas. Il continue de se tenir aussi près que possible du petit groupe. Mick comprend que le guide a peur...

Ils pénètrent dans une autre grotte, et là Pilou pousse un cri de joie qui se répercute sans fin :

— Berlingot ! Ça y est, te voilà !

Effrayé et frigorifié, le petit singe se tient accroupi contre l'une des parois. À leur entrée, il ne bouge pas. Son maître court à lui et le prend dans ses bras :

— Berlingot ! Mon pauvre Berlingot ! Tu trembles... Pourquoi tu t'es sauvé ? Tu aurais pu te perdre !

L'animal tient quelque chose dans sa main. Il se met à bavarder comme si tout le monde le comprenait, déplie les doigts pour prendre Pilou par le cou, et, du coup, laisse tomber un objet métallique, qui sonne et roule sur le sol rocheux...

Mick dirige aussitôt la lumière de sa lampe de poche vers le sol. Quelque chose brille d'un éclat jaune...

— Une pièce d'or ! s'étonne François.

Il la ramasse. Chacun regarde, le souffle coupé.

— Oui, une pièce d'or, aussi brillante que si elle était neuve ! Berlingot, où l'as-tu trouvée ? questionne Claude.

La pièce passe de main en main.

— Le trésor ! Berlingot a déniché le trésor ! bredouille Pilou, tout ému, exprimant ainsi tout haut la pensée de chacun.

En effet, il s'agit d'une pièce d'or ancienne.

— On est sur la piste du trésor ! renchérit Mick. Berlingot va nous y conduire tout droit !

Mais le singe, qui a eu très peur, se cramponne au cou de Pilou et refuse d'entendre quoi que ce soit. Cette histoire de pièces d'or ne l'intéresse pas du tout ! Il ne veut qu'une chose : sortir avec son jeune maître de cet affreux trou noir !

De son côté, Yann juge prudent de ne pas prolonger la visite de la caverne.

— C'est fini pour aujourd'hui, les enfants, la mer va bientôt monter. Allons-nous-en !

Annie, qui a l'oreille fine, perçoit alors un gargouillement lointain. Quelque part, l'eau a déjà pénétré !

— Vite ! presse-t-elle. La mer arrive, je l'entends. Elle va envahir la plage bientôt. Si on tarde, on ne pourra pas sortir par la falaise et on sera obligés de rester dans les cavernes jusqu'à la marée basse !

— Ne t'affole pas, ma petite, tempère le vieux marin calmement. Nous avons le temps. Tiens ! Où est passé ce vaurien de Mathias ?

— Il a dû nous entendre parler de la pièce d'or qu'a trouvée Berlingot, avance Claude. Maintenant qu'il sait que le trésor est caché par ici, il va tenter de le découvrir dès que possible ! On aurait dû se taire, devant lui !

— Pas facile quand on est surpris... fait remarquer l'aîné du groupe.

Pendant qu'ils regagnent la sortie, Mick livre ses pensées :

— Mathias va raconter partout qu'un singe a trouvé une pièce d'or provenant du trésor, et des tas de gens vont venir ici, pour essayer de le dénicher ! Il a dû être mis dans un endroit bien sec, en tout cas, puisque cette pièce n'est même pas abîmée !

— Moi, je suis persuadé que Mathias se taira et fera des recherches avec son frère, estime François. Je ne le crois pas assez courageux pour venir seul ici !

— Il faut qu'on revienne demain, complète Claude tout bas. Pourquoi ne pas tenter notre chance, nous aussi ? Quand même, ce singe est un vrai détective !

Ils continuent leur route, tout en faisant de beaux projets...

chapitre 18
Le retour au phare

Bien sûr, Yann Le Briz est bouleversé par l'exploit de Berlingot. Mais il est très contrarié de penser que son ennemi Mathias a assisté à cette trouvaille. Guillaume et Mathias ont longuement cherché ce trésor, il en est sûr. Ils sont prêts à tout pour s'en emparer !

— Ce n'est pas que j'aie tellement envie de trouver le trésor, marmonne-t-il, mais je dois dire que je serais furieux si Guillaume et Mathias le dénichaient, eux ! Ils ne vont pas manquer de le chercher, maintenant…

Les sourcils froncés, réfléchissant, le vieil homme marche vers la sortie, avec les enfants. Ils sont tous heureux de retrouver la lumière du jour.

— Dépêchons-nous de rentrer au phare, dit Annie. Il est temps !

141

Heureusement, le vent souffle contre la marée. Ils arrivent aux marches du phare sans trop de dégâts ; ils ont seulement les pieds mouillés.

— J'entends Dago qui aboie ! Il nous a entendus approcher ! commente Pilou.

En effet, Dagobert manifeste sa joie ! Enfin, il va avoir de la compagnie ! Il n'a pas bougé du paillasson, les oreilles aux aguets... Personne n'est venu.

— Nous voilà ! Dag ! s'écrie Claude, en ouvrant la porte. Dans son élan, Dagobert manque de la renverser. Berlingot monte sur le dos du chien et se met à lui parler fébrilement à l'oreille.

— Il lui raconte qu'il a trouvé une pièce d'or, s'amuse Pilou. Dommage que tu ne nous aies pas accompagnés, Dago !

— J'ai l'impression qu'on est partis depuis une éternité, déclare Claude. Pourtant, il n'est pas tard... J'ai faim ! Mangeons des sandwichs, et puis on discutera de ce qu'il faut faire !

Autour de la table de la cuisine, ils parlent longuement.

— Il faudrait retourner là-bas dès que possible ! annonce Mick. Je suis sûr que Guillaume et Mathias se précipiteront dans les cavernes dès que l'eau se retirera.

— On ne peut plus rien tenter aujourd'hui, fait remarquer Annie. D'une part, la marée est haute en ce moment, et d'autre part, une tempête se prépare. Vous entendez le vent ?

Dagobert reste tout près de sa maîtresse, heureux de la retrouver après cette absence. Il n'aime pas qu'elle parte sans lui. Pendant qu'elle mange, Claude le tient par le cou, et lui donne de temps en temps une moitié de biscuit. De son côté, Pilou fait pareil avec Berlingot.

Les enfants se posent mille questions. Où Berlingot a-t-il pu trouver la pièce d'or ? Serait-ce juste une pièce isolée, que la mer a apportée dans le tunnel ? Vient-elle d'un vieux coffre plein d'argent ? Ils débattent, en regardant le petit rond de métal doré posé sur la table, devant eux.

— Si seulement on pouvait aller tout de suite dans les cavernes ! soupire Claude. C'est dommage d'être obligés d'attendre !

— Écoutez le bruit de la mer qui s'écrase sur les rochers ! fait remarquer François. C'est bien une tempête !

— Ce sera difficile d'aller à terre dans la barque de Pilou, souligne Mick. Mais on ne pourra peut-être pas non plus franchir les rochers, même à marée basse, si les vagues sont trop grosses ! Je crois bien qu'on est prisonniers ici, dans le phare !

— Heureusement, on a des provisions, se rassure Annie.

— Tu crois qu'elles pourront durer longtemps ? On est cinq, plus Dagobert et Berlingot, qui ont un gros appétit, eux aussi !

— Il va falloir se limiter, conclut François. Allez, Annie, ne t'inquiète pas ! La tempête ne durera pas

143

longtemps. On pourra bientôt sortir pour se ravitailler.

Mais le ciel s'assombrit tant que la benjamine du groupe doit allumer la lampe. La pluie cingle violemment le phare et le vent souffle si fort que Dagobert, inquiet, se met à gronder tout bas.

Annie va regarder par la fenêtre. Elle est effrayée de la hauteur des vagues qui viennent s'écraser sur les rochers. L'écume jaillit jusque sur les vitres de la cuisine...

François s'approche de sa sœur et contemple lui aussi la vue. Quel spectacle sauvage et magnifique s'offre alors à ses yeux ! La mer est devenue gris foncé, et de grosses vagues aux crêtes blanches s'élancent vers le rivage, l'une après l'autre. Celles qui viennent se briser sur les rochers projettent en l'air d'immenses bouquets d'écume...

Quelques mouettes hardies se balancent dans le vent, et paraissent prendre plaisir à se laisser emporter.

— J'aimerais être une mouette aujourd'hui, commente François. Ça doit être étourdissant de voler dans la tempête !

Claude, elle, ne se soucie pas des oiseaux.

— Les bateaux qui sont sortis par un temps pareil courent de gros risques, souligne-t-elle. Quand on pense qu'autrefois cette côte si dangereuse était mal éclairée, la nuit, et que ce vieux bandit de Laumec faisait tout pour provoquer des naufrages ! C'est monstrueux !

— Où sont les cartes ? lance Mick. Une bonne partie nous distraira. Allez, on ne va pas se laisser abattre ! Pensez au trésor qu'on va peut-être découvrir !

Ils se rassemblent autour de la lampe. Mick prend un ton confidentiel.

— Je suis sûr qu'on pourra facilement trouver ce fameux trésor. Berlingot est très malin. Il se souviendra de l'endroit où il a trouvé cette pièce d'or, et nous y conduira...

— À moins que ce ne soit une pièce perdue par celui qui a caché le trésor, fait remarquer Annie.

— C'est possible, mais en cherchant dans les parages, on aura quand même de grandes chances...

— Il faudra faire attention à la marée, avertit François. C'est quand même un peu effrayant de se promener dans ces cavernes, quand on sait que l'eau y pénètre très vite à marée haute.

Mick fronce les sourcils.

— Vous vous souvenez du chemin qu'on a pris dans les cavernes, ce matin ? Il allait nettement vers la gauche, c'est ça ?

— Oui, s'empresse de répondre Pilou. J'avais ma boussole. On a marché vers l'ouest tout le temps !

— C'est-à-dire vers le phare ! s'exclame Mick.

Il attrape une feuille de papier et dessine un plan rudimentaire.

— Ici, c'est le phare, explique-t-il. Là, vous voyez l'entrée des grottes, dans la falaise. On a suivi ce chemin, qui fait une courbe et part vers la

145

mer en passant sous la plage. À cet endroit il y a la première caverne ; ensuite, une galerie, puis on arrive à une seconde caverne... On s'est constamment dirigés vers la gauche...

— Un peu plus et on se serait retrouvés sous le phare ! conclut Mick, tout étonné.

— C'est bien ce que je pense, renchérit François. Et peut-être qu'autrefois, avant que le phare ne soit construit, il existait un passage sous la mer qui partait de la falaise et conduisait jusqu'aux rochers où, parfois, s'écrasaient les navires. Si c'est vrai, Laumec et ses complices pouvaient se livrer à leurs sinistres naufrages sans craindre d'être vus !

— Tu veux dire que, quand un bateau coulait dans les parages, ils se rendaient par les cavernes et les galeries, pour y piller tout ce qui avait de la valeur, et qu'ensuite, ils disparaissaient dans les cavernes avec leur butin ? questionne Claude.

— Oui ! Ce serait intéressant de savoir si on peut encore utiliser la partie de la galerie qui aboutit près du phare. Si ça se trouve, elle est bouchée maintenant… Il faudrait qu'on regarde ça demain. Peut-être qu'on découvrira un trou dans les rochers et un passage qui conduit aux cavernes qu'on a visitées avec le vieux Yann !

Les enfants n'ont pas envie de jouer aux cartes ce soir-là. Ils sont trop agités. Le plan de François les préoccupe, ils y réfléchissent sans cesse. Pilou est très fier d'avoir eu le réflexe de consulter sa boussole et les autres l'en félicitent vivement.

— Vous voyez que c'est très utile, une boussole ! triomphe leur ami. Tu te souviens, Mick, que tu te moquais de moi quand je disais que je ne m'en séparais jamais ?

— En quittant Kernach pour venir ici, je n'imaginais pas que ta boussole pourrait nous rendre service.

— On ne pouvait pas prévoir qu'on ferait une telle exploration souterraine, complète François. Mais Pilou a raison : une boussole est indispensable aux aventuriers, comme nous. C'est un petit objet qui ne prend pas de place et qu'un garçon doit toujours avoir sur lui.

— Un garçon *ou* une fille ! ajoute Claude. J'ai une boussole à Kernach. Je l'emporterai pour tous mes prochains voyages.

L'esprit de Mick revient aux cavernes. Il souligne soudain :

— J'ai l'impression que tous les habitants ont oublié l'existence d'une galerie aboutissant aux rochers ! Personne ne nous en a parlé, même pas Yann. Elle est peut-être bloquée depuis longtemps !

— C'est possible, admet son frère. En tout cas, on examinera les alentours du phare demain.

— Et si on la trouve, cette fameuse galerie, on l'explorera et on ira chercher le trésor ! s'écrie Pilou, radieux.

chapitre 19

Quelle émotion !

La tempête souffle encore toute la nuit ; elle s'apaise au petit matin. Quand les jeunes habitants du phare s'éveillent, le ciel est encore gris, il tombe une pluie fine, mais enfin, on peut mettre le nez dehors.

— On va d'abord faire nos courses au village, ou on commence par les recherches ? interroge Annie.

— Vérifions d'abord s'il n'y a pas une ouverture quelque part dans les rochers. Le vent n'est pas encore complètement tombé, il peut se remettre à souffler très fort... Profitons de l'accalmie. Quand les vagues sont trop grosses on ne peut pas se promener autour du phare... décide François.

Ils sortent. À marée basse, les rochers sur les-

149

quels s'élève le phare dominent la mer d'assez haut.

Ils se séparent pour explorer, chacun de son côté, toutes les cavités qui pourraient conduire à un passage souterrain.

Au bout de quelques minutes, la voix d'Annie retentit :

— Venez voir ! appelle-t-elle. Voilà un trou qui a l'air très profond !

Les autres accourent aussitôt, ainsi que Dagobert.

Mick inspecte la cavité.

— Tiens, c'est peut-être ce qu'on cherche, dit-il. Je vais descendre là-dedans !

Il se laisse glisser dans l'ouverture béante, en se retenant aux saillies du roc. Les autres l'observent, le cœur battant. Dagobert aboie pour manifester son mécontentement de voir disparaître Mick sous terre... Mais déjà ce dernier annonce :

— Ce n'est pas ça ! Je remonte !

Tous les visages affichent une profonde déception.

— Dommage ! soupire Claude. Elle tend les bras vers son cousin pour l'aider à remonter.

— Je n'aimerais pas rester coincé là-dedans, grommelle Mick, qui a quelques difficultés à sortir du trou.

— Il pleut à verse, maintenant, constate Annie. On ne va pas pouvoir aller tout de suite au village...

— Tant pis, déclare Claude. Je suis trempée.

Rentrons vite dans le phare et faisons-nous un bon chocolat pour nous réchauffer !

Ils courent se mettre à l'abri. En refermant la porte, Mick exprime tout haut sa pensée :

— Le serrurier n'est pas encore venu. Si on va dans les cavernes, il faudra laisser Dago ici, encore une fois...

— Ouah ! fait le chien, comme pour protester.

Ils montent tous dans la cuisine et préparent du chocolat fumant.

Alors qu'ils le savourent tranquillement, Dagobert bondit soudain et se met à gronder de façon terrifiante...

Tout le monde sursaute. Annie renverse une partie du contenu de sa tasse...

— Dag, qu'est-ce qui se passe ? interroge Claude, inquiète.

L'animal se tient devant la porte fermée, les poils du cou hérissés, l'air féroce...

— Quoi, Dago ? renchérit François en ouvrant la porte. Il y a quelqu'un en bas ?

Dagobert bondit dans l'escalier en spirale et le descend si vite qu'il tombe et roule sur les dernières marches. Claude pousse un cri :

— Dag ! Tu es blessé ?

Mais le chien s'est déjà relevé et se précipite vers la porte d'entrée en grondant de plus belle. Annie en a froid dans le dos. François, qui a suivi Dagobert, constate que le verrou est toujours fermé.

— C'est peut-être encore le laitier ? dit-il.

151

Il fait glisser le loquet et veut sortir pour s'en assurer. Mais la porte refuse de s'ouvrir ! François a beau secouer la poignée dans tous les sens, rien n'y fait !

Ses compagnons, descendus en vitesse, l'entourent maintenant.

— Laisse-moi essayer, propose Mick.

— Si tu veux. Mais je crois bien que quelqu'un nous a enfermés... révèle son frère, consterné.

La stupéfaction se peint sur les visages.

Puis Claude éclate :

— Enfermés ! Qui a osé faire ça ?

— Devine… réplique l'aîné du groupe. Celui qui est venu l'autre jour nous voler la clef !

— Guillaume ! s'exclame Mick. Ou Mathias. L'un des deux, en tout cas. Que faire ? On ne peut plus sortir ! Pourquoi ont-ils fait ça ?

— Sans doute pour empêcher nos recherches, avance Annie. Ils nous ont enfermés ici pour être tranquilles, pour avoir le temps de découvrir le trésor avant nous !

Claude à son tour s'acharne sur la poignée de la porte.

— On est prisonniers ! s'égosille-t-elle. Les bandits ! Ils nous le paieront !

— N'arrache pas la poignée, prévient François, ça serait encore pire. Retournons dans la cuisine, on réfléchira ensemble à un plan d'action…

Tous remontent l'escalier en silence. Ils s'assoient autour de la table. Un étrange malaise s'empare d'eux, à l'idée qu'ils sont captifs de ce phare, si loin de tout...

François, l'aîné, qui se sent un peu responsable des autres, ne cache pas son inquiétude.

— On ne peut pas sortir, c'est sûr, songe-t-il à haute voix. D'autre part, comment obtenir que quelqu'un vienne à notre secours ? On n'a pas de téléphone. Et pas la peine d'essayer de crier pour attirer l'attention, on est trop loin du village pour qu'on nous entende... Personne ne se doutera qu'on est enfermés ici. Les commerçants nous ont bien remarqués, mais, s'ils ne nous voient plus, ils penseront simplement qu'on est repartis chez nous !

— On mourra de faim ! gémit Annie.

— Oh ! non ! On trouvera bien une solution, assure Mick, en essayant de sourire pour réconforter sa sœur. Mais ce n'est pas facile : on est bloqués ici, et personne ne peut entrer !

Ils discutent longtemps. À force de parler, ils ont faim. Ils essaient de se limiter, de peur de se trouver bientôt sans provisions.

— J'ai toujours faim... se lamente Claude.

— Je vous avais prévenus. Quand on vit dans un phare, on mange deux fois plus qu'ailleurs ! rappelle Pilou.

— Si seulement le serrurier se décidait à venir demain matin ! En tout cas, on essaiera d'attirer l'attention du laitier, décide François. Pourvu qu'il puisse passer sur les rochers ! On écrira sur

153

un papier : « Au secours ! On est enfermés dans le phare ! » Mais comment s'y prendre pour faire passer ce papier de l'autre côté de la porte sans qu'il s'envole ?

— Il faudrait une grande feuille : la moitié seulement dépasserait sous la porte, à l'extérieur. L'autre moitié serait fixée sur le sol, à l'intérieur, propose Annie. Comme ça le papier ne pourrait pas s'envoler !

— Bonne idée ! Ça vaut la peine d'essayer, estime Mick.

Il va fouiller dans ses affaires et revient avec une feuille de papier d'emballage. Il découpe dedans un grand rectangle, et écrit l'appel au secours en grosses lettres. Puis il descend attacher son papier au paillasson, et le fait dépasser sous la porte pour que le laitier puisse voir le message.

Il retourne dans la cuisine.

— Espérons qu'il fera meilleur demain matin, souligne-t-il, parce que le livreur ne se risquera jamais sur les rochers par un temps pareil !

La nuit tombe vite, car le ciel est chargé de nuages ; le vent se met à hurler de façon sinistre. Les mouettes renoncent à leurs jeux et rentrent au nid.

Ce soir-là, les cinq prisonniers jouent aux cartes. Ils font des efforts pour être gais, pour plaisanter. Mais le cœur n'y est pas. Chacun, en secret, se sent angoissé : et si la tempête durait longtemps ? Si personne ne venait jusqu'au phare, ni laitier, ni facteur, ni serrurier... S'il ne leur reste plus rien à manger, que deviendront-ils ?

— Allez, courage ! lance François, qui voit baisser le moral de la troupe. On s'est déjà retrouvés dans des situations pires que celle-ci !

— Je ne crois pas, murmure Annie.

Il y a un silence, pendant lequel on entend Dagobert pousser un long soupir, comme s'il partageait leurs soucis. Seul, Berlingot se sent d'humeur à faire le pitre. Il est très vexé de voir que ses meilleurs numéros n'ont aucun succès et finit par se réfugier près de son ami Dagobert.

— Écoutez, j'ai une idée, dit enfin Mick. Mais je ne sais pas ce qu'elle vaut. En tout cas, si demain on ne reçoit aucune aide, on pourra essayer...

Il s'interrompt, le regard perdu dans le vague.

— Quoi ? questionnent quatre voix impatientes.

— Eh bien, vous savez que quand je suis descendu dans les fondations du phare, j'ai vu un puits dans lequel l'eau pénètre en tourbillonnant... Il est possible que ce puits ait été aménagé dans une cavité du roc qui existait déjà ! Les maçons y auraient versé du ciment pour en faire une fondation solide, afin que le phare puisse résister aux plus fortes tempêtes !

Chacun reste songeur. Puis Claude frappe sur la table si bruyamment qu'elle fait sursauter ses compagnons :

— Tu as trouvé, Mick ! s'écrie-t-elle. Oui, ce puits cimenté est une petite partie d'une galerie

155

creusée dans le roc, qui rejoint sans doute les cavernes qu'on a visitées. C'est pourquoi on n'a pas trouvé d'issue dehors ! Les maçons l'ont utilisée pour leur puits !

— C'est ça ! renchérit François. Il faut descendre à marée basse dans le puits, et aller s'assurer qu'il communique bien avec les cavernes.

— Et dans ce cas, il n'y aura plus qu'à sortir par la falaise, complète Claude. Quelle merveilleuse idée ! On pourra s'échapper comme ça ! Tentons l'aventure !

chapitre 20

Dans le puits

La tempête souffle par à-coups. Parfois elle semble se calmer, puis le vent reprend avec une si grande violence que les enfants se demandent comment le phare peut résister à de telles bourrasques.

Le fracas réveille François. Il se lève et va regarder par la fenêtre. Pour la première fois, il aperçoit alors, entre deux projections d'écume, la lueur du nouveau phare dans le ciel et sur l'eau.

« Il est drôlement puissant, pour qu'on voie si bien sa lumière par une telle nuit ! » pense-t-il.

Puis il se met à réfléchir à la situation où ils se trouvent tous.

« On était venus ici pour passer agréablement quelques jours de vacances ! Et on est en plein drame ! » conclut-il avec amertume.

Là-dessus, il bâille, retourne se coucher, et bientôt se rendort profondément.

Quelques heures plus tard, quand il se réveille de nouveau, la tempête dure toujours et le vent frappe le phare encore plus fort.

Un jour gris éclaire une mer d'encre. L'aîné des Cinq descend l'escalier pour s'assurer que le laitier n'est pas venu, mais il connaît déjà la réponse... Comment le livreur aurait-il osé s'aventurer jusqu'à eux ?

Mick, debout lui aussi, observe par la fenêtre. Soudain, il constate avec angoisse que leur bateau a disparu ! Il court raconter la nouvelle à Pilou.

— Quoi ? Qu'est devenu mon bateau ? Tu crois qu'on l'a volé ?

— Ce n'est pas possible par un temps pareil. Les vagues ont peut-être fini par rompre son cordage… Alors le canot a dû se briser sur les rochers et les morceaux se sont dispersés dans la mer... Pauvre Pilou !

Ce dernier écrase du doigt une larme qui coule sur sa joue. Berlingot tente de le réconforter en faisant des grimaces et des acrobaties qui, d'habitude, sont saluées par des d'applaudissements. Mais son maître ne rit pas. Il est perdu dans de sombres pensées.

Les enfants mangent peu au petit déjeuner. Les réserves baissent, le lait manque, le pain aussi. Personne ne parle, devant son thé et ses biscottes.

158

Quand ils ont débarrassé la table, Claude prend la parole :

— Maintenant, il faut se décider à propos de cette évasion par le puits. C'est moi qui tenterai le coup !

— Pourquoi pas moi ? proteste Mick. Ou plutôt, pourquoi ne pas aller explorer les fondations ensemble ? Il vaudrait mieux être deux, on pourrait s'aider mutuellement, en cas de besoin.

— Ce n'est pas une mauvaise idée, convient François. Le plus tôt sera le mieux. Il faut profiter de la marée basse.

— Tu veux qu'on parte tout de suite, Mick ? interroge sa cousine, l'air déterminé.

— Oui, acquiesce-t-il sans hésiter.

Tous deux descendent gravement l'escalier. Suivis des autres, ils vont jusqu'à la trappe, François la lève et éclaire l'intérieur du puits.

— Allez-y !

— Prends ma boussole, dit Pilou, en la tendant à Mick.

— Faites attention, recommande Annie, émue.

— Ne t'inquiète pas, on sera très prudents, promet Claude. S'il y a vraiment un passage qui conduit du puits aux cavernes, on aura vite fait de sortir par la falaise et de trouver du secours !

Elle disparaît dans le puits. Son cousin la suit. François les éclaire un moment, mais bientôt les perd de vue.

Seules les voix des deux aventuriers retentissent de temps en temps, étrangement amplifiées.

— On est au fond ! crie Mick. Il n'y a pas d'eau pour le moment. On va explorer l'ouverture qui se trouve sur le côté. À plus tard !

— Bon courage ! répondent trois voix.

François, Annie et Pilou, penchés sur le puits, attendent encore quelques minutes. Aucun son ne leur parvient plus. Dagobert se met à pousser quelques gémissements. Cette disparition sous terre de sa maîtresse et de Mick ne lui dit rien qui vaille...

Ces derniers sont tout d'abord assez contents de leur petite exploration. Ils doivent ramper sous un gros rocher en forme d'arche pour sortir du puits et pénétrer dans une galerie. Celle-ci, étroite et basse, les oblige à marcher courbés. Cela sent l'humidité et aussi les algues, mais l'air ne manque pas. Même, par instants, une brise légère semble leur parvenir.

— Je voudrais bien qu'on arrive rapidement dans une des galeries qu'on connaît déjà, déclare Claude. À mon avis, on ne se trouve pas bien loin de l'endroit où on était hier. Mick, consulte la boussole !

— On marche vers l'est.

— C'est la bonne direction ! Continuons. Tiens ! Qu'est-ce que c'est que ça ? Regarde !

Mick ne peut retenir un cri de surprise :

— Une pièce d'or ! C'est sans doute dans ce coin

que Berlingot a trouvé la première. En voilà une autre ! Et encore une autre ! D'où sortent-elles ?

Les explorateurs éclairent les parois autour d'eux, et voient un trou dans le roc, sur leur gauche, un peu au-dessus de leur tête. Ils viennent de le repérer quand une pièce glisse de la cavité et dégringole par terre.

— Aucun doute, c'est ici que Berlingot a trouvé sa pièce ! s'écrie Mick. Il y a certainement là-haut un coffret ou quelque chose de ce genre qui laisse échapper un trésor...

— Personne n'aurait jamais pensé à venir regarder dans ce trou ! s'exclame Claude. D'ailleurs, il y a tellement de creux et de failles dans la roche qu'il serait impossible de les explorer tous...

— Faisons la courte échelle, propose Mick. Laisse-moi aller regarder si je vois quelque chose... Dépêche-toi !

Sa cousine se prête à la manœuvre, et Mick passe la tête et les épaules dans la cavité. Il tâte d'un côté, rien ! Il tâte de l'autre, et sa main rencontre alors quelque chose de dur et de froid... du fer, peut-être ? Puis ses doigts reconnaissent le contact du bois, mais d'un bois très humide... S'agit-il d'un vieux coffre ? Il fait bouger l'objet qui paraît être lourd. Aussitôt, Claude se met à protester !

— Arrête ! Tu me fais tomber toutes les pièces sur la tête !

Le garçon saute à terre. Il y a en effet un joli tas d'or sur le sol.

— On a trouvé le fameux trésor, que d'autres ont cherché si longtemps ! s'extasie-t-il. Il faut que personne ne s'en doute. Ramassons les pièces, au cas où ce bandit de Mathias se déciderait à venir par ici !

Ils remplissent leurs poches, puis continuent leur chemin. À leur grande joie, ils reconnaissent bientôt l'endroit où ils se sont arrêtés avec Yann, la veille.

— En avant ! lance Claude. On sera bientôt dehors !

— Chut ! souffle l'autre. J'entends quelque chose...

Ils écoutent, mais aucun son ne leur parvient plus. Mick pense que sa cousine s'est trompée.

Alors qu'ils tournent à l'angle d'un passage, quelqu'un se jette sur eux ! Claude et Mick tombent à terre. Mick a juste le temps de reconnaître Mathias ! Il voit qu'auprès de lui se tient un autre homme, Guillaume, sans doute...

Les poches trop pleines des jeunes aventuriers laissent échapper quelques pièces d'or qui roulent dans la galerie.

Mathias pousse une exclamation et reste figé de surprise. Claude en profite pour tenter de s'échapper, mais Guillaume – c'est bien lui – la rattrape et hurle, tout en la secouant :

— Où avez-vous trouvé ces pièces ? Vous allez nous le dire tout de suite ou sinon gare à vous !

— Sauve-toi, Mick, c'est notre seule chance ! lance l'adolescente.

Puis, de toutes ses forces, elle donne des coups de pied dans les jambes de son agresseur, qui la lâche sous l'effet de la douleur...

Alors les cousins se mettent à courir éperdument, en rebroussant chemin.

— Revenez ici immédiatement ! vocifère Mathias. Il se lance à leur poursuite.

— Vite ! souffle Mick. Si seulement on peut atteindre le puits, on est sauvés !

Talonnés par leurs ennemis, ils se trompent de galerie et débouchent bientôt dans une caverne qu'ils ne connaissent pas. Comme ils sont dissimulés par un angle rocheux, Guillaume et Mathias passent en courant devant eux sans les voir.

— Laissons-les s'éloigner un peu, halète Claude.

Ils restent un moment immobiles, puis ils s'aventurent sans bruit hors de leur cachette, et reviennent sur leurs pas.

— Si jamais on se perd, on sera noyés, articule Mick, angoissé. Il faut vite sortir d'ici par la falaise ou par le puits, avant que la marée ne monte ! Donne-moi la main. Il ne faut pas nous séparer, quoi qu'il arrive !

Tandis qu'ils avancent, inquiets de ne rien reconnaître, ils entendent des voix.

— Attention, voilà Guillaume et Mathias ! murmure Claude. Cachons-nous dans ce grand trou !

Ils se recroquevillent l'un contre l'autre, le cœur

163

battant. La voix de Mathias retentit, cette fois toute proche :

— Il faut bien que les gamins reviennent par ici pour trouver la sortie, marmonne-t-il. Attendons-les ! Surtout, ne fais pas de bruit !

Les deux hommes s'arrêtrent à quelques mètres de l'endroit où les enfants se cachent.

— On était dans la bonne direction. Courons ! souffle Mick à l'oreille de sa cousine.

Tous deux partent à toute allure...

Guillaume et Mathias, un moment interdits de les voir déboucher devant eux, se lancent à leur poursuite.

Mick et Claude courent, courent à perdre haleine dans la galerie, heurtant des épaules et parfois de la tête les parois irrégulières, qui ne sont que creux et bosses. Derrière eux, Guillaume et Mathias soufflent et se cognent encore davantage, gênés par leur grande stature.

— Oh ! Il y a de l'eau qui arrive dans la galerie ! constate Mick, épouvanté.

— Vite, vite ! réagit sa cousine.

Ils réussissent à distancer leurs poursuivants, et arrivent à l'intersection de deux galeries.

Laquelle faut-il prendre ? Ensemble, les deux cousins se penchent sur la boussole. Leur vie dépend peut-être de ce petit objet...

— Ouest ! Par ici ! crie Mick, quand l'aiguille aimantée est enfin stabilisée.

Il était temps ! Les descendants des naufrageurs

se rapprochent d'eux. Tête baissée, les jeunes explorateurs foncent, terrifiés.

Soudain, un cri de joie s'échappe de la gorge de Claude :

— Je reconnais cette caverne ! Courage, le puits n'est pas loin !

Ils courent toujours, ralentis maintenant par l'eau qui leur arrive aux chevilles.

— Nous y voilà ! s'exclame enfin Mick.

Il s'aplatit sur le sol et se met à ramper sous l'arche qui sépare la galerie du puits. Il sort de l'autre côté et commence de monter à l'échelle.

— Dépêche-toi, Claude ! encourage-t-il d'une voix étranglée d'émotion.

L'adolescente surgit à son tour, trempée, à bout de souffle.

— Je n'en peux plus, heureusement qu'on est arrivés, avoue-t-elle, en grimpant derrière son cousin.

— Reposons-nous un instant, propose Mick. On a semé Mathias et Guillaume.

Mais des cris leur parviennent :

— Mathias ! Reviens ! La marée monte !

— Je viens ! répondit une deuxième voix. Les gosses ont disparu ! Tant pis pour eux ! Ils vont être noyés !

Mick sourit.

— Grimpons ! dit-il, avec un clin d'œil. Je vois de la lumière là-haut. François, Annie et Pilou ont laissé la trappe ouverte !

Bientôt les deux aventuriers sortent du puits : Dagobert jappe et bondit joyeusement, comme s'il ne les avait pas vus depuis six mois. Quant aux trois autres, ils restent un long moment muets d'émotion !

— Alors, qu'est-ce que vous avez vu ? interroge la benjamine du groupe, quand elle peut enfin parler.

— Des tas de choses, répond sa cousine. Malheureusement, à cause de Guillaume et de Mathias, on n'a pas pu sortir par la falaise. On reste donc prisonniers dans le phare... Mais devinez ce qui nous est arrivé ?

— Dis vite ! presse François, en trépignant d'impatience.

— On a trouvé le trésor ! annonce Mick, triomphant. Montons dans la cuisine, on vous racontera toute l'histoire !

Quand Pilou, François et Annie voient les pièces d'or, ils se mettent à danser de joie.

— J'aurais voulu être avec vous pour voir cette pluie d'or ! s'exclame Pilou.

— C'était incroyable, reconnaît Claude. Mais tu aurais moins aimé la poursuite dans les galeries. On a passé un mauvais moment. Hein, Mick ?

— C'est vrai. Si on n'avait pas couru si vite, on serait restés aux mains de ces deux bandits.

— Vous êtes trempés tous les deux, remarque Annie. Allez vous changer. Pendant ce temps, on vous fera du thé. Il vaut mieux boire quelque chose de chaud !

— Tu as raison, approuve sa cousine. Viens, Mick. Il ne faut pas qu'on attrape un rhume.

Quand ils reviennent, ils trouvent chacun un bol de thé bouillant. Annie regarde à la fenêtre, l'air soucieux.

— Encore… soupire-t-elle. Je vois venir vers nous de gros nuages noirs. Le vent souffle très fort… Même si on pouvait ouvrir la porte, il serait impossible de quitter le phare…

— Comment faire ? questionne François. Comment alerter les gens et obtenir de l'aide ? On ne va quand même pas rester enfermés ici ! Il faut trouver un moyen... Mais quoi ?

chapitre 21

Une idée merveilleuse

— Il n'y a plus grand-chose à manger, annonce tristement Pilou.

— Si les gens du village pensent qu'on a quitté le phare et qu'on est rentrés chez nos parents, on peut rester ici longtemps, fait remarquer Mick.

— Sauf que maman s'inquiétera si elle est sans nouvelles de nous, précise Claude. On a promis de lui écrire tous les jours. Si elle ne reçoit rien, elle ne va pas tarder à envoyer quelqu'un ici pour voir ce qu'on fabrique.

— Oui, c'est certainement ce qui va se passer, reconnaît Mick. Il n'y a plus qu'à attendre du secours, en ménageant nos provisions. En tout cas, on ne risque pas de manquer d'eau de pluie, et c'est l'essentiel, après tout. On peut vivre dix jours sans manger, il paraît, tant qu'on a à boire. On sera sauvés bien avant dix jours !

Les mines s'allongent d'angoisse.

— Que faire pour sortir d'ici ? répète François. Il faudrait signaler notre présence, d'une façon ou d'une autre. Il n'y a pas un drapeau quelque part dans le phare, Pilou ? On pourrait l'agiter à une fenêtre !

— Non, je n'en ai jamais vu, répond Pilou. Mais peut-être qu'une nappe donnerait le même effet... Il y en a une dans le placard.

— Pourquoi pas ? Essayons ! propose Claude.

Tandis que Pilou prend la nappe, François se dirige vers la fenêtre, dont la vitre est tout éclaboussée d'écume.

— Je me demande si quelqu'un remarquera ce tissu rose par un temps pareil ! marmonne-t-il. Je vais essayer d'attirer l'attention...

Il veut ouvrir la fenêtre, mais elle résiste.

Il y met toutes ses forces et réussit enfin... Le vent s'engouffre dans la cuisine avec une violence inouïe. Tout vole autour des enfants : les cartes, les livres, les habits... Les chaises se renversent. Le pauvre Berlingot se trouve projeté dans le fond de la pièce mais se rattrape adroitement au buffet. Dagobert, effrayé, se met à aboyer, et tente de saisir au vol les objets qui lui passent devant le nez. La nappe disparaît, arrachée, par le vent, des mains de François...

Mick doit aider son frère à refermer la fenêtre ; ils y parvient avec difficulté.

Tout redevient calme dans le phare.

— Oh ! non ! s'écrie François. Je ne pensais pas que le vent me jouerait ce tour-là. La nappe est loin, maintenant !

— Heureusement que tu ne t'es pas envolé avec ! dit Annie. Quelle tempête !

— Par moments, on sent des secousses, fait observer Mick. Ce sont les vagues qui ébranlent le phare...

— Tu crois ? murmure sa sœur, inquiète.

— N'aie pas peur, il en a vu d'autres, assure François.

— Pauvre Berlingot, il est tout effrayé, lui aussi, constate Pilou. Regardez-le, en haut du placard ! On dirait qu'il n'ose plus bouger.

À ce moment, un grand coup de vent paraît secouer le phare. Dagobert se lève et se met à gronder. La pluie cingle les vitres si fort qu'on croirait que quelqu'un jette des cailloux contre la croisée.

Combien de temps va durer le mauvais temps ? Il reste quelques boîtes de conserves, mais c'est peu !

— Allez, ne faites pas cette tête, tempère Claude. Patientons avec le sourire !

— Impossible, proteste François. Il faut trouver le moyen de sortir d'ici, ou d'appeler à l'aide... Mais on n'a aucun moyen de signaler notre présence.

171

— Si on arrivait à faire marcher la lanterne, là-haut, ce serait un excellent signal, non ? questionne Annie.

— Mais, oui ! s'écrie Mick. Ça, c'est une idée ! Bravo, sœurette ! Pilou, tu crois que c'est possible ?

— Oui. Mon père m'a montré un jour comment on allumait la lampe. Il faut utiliser du pétrole. Il doit en rester.

— Ah ! s'exclame Mick en se frappant le front. Il y a une cloche, dans le phare ! Si on pouvait la faire sonner, ce serait encore mieux !

— C'est vrai, acquiesce François.

— Oui, confirme Pilou. Elle était pendue à un gros crochet de fer, près de la lanterne, mais elle a été retirée de sa place et rangée en bas...

— Ça veut dire que l'un de nous devrait s'aventurer sur la galerie par ce vent terrible pour la raccrocher ? Pas facile ! Enfin, allons toujours examiner cette cloche. On prendra une décision ensuite, décide Claude.

Pilou conduit ses amis dans la pièce où la grosse cloche de bronze repose sur le sol, recouverte d'une bâche.

Autrefois, quand elle servait, un marteau, actionné mécaniquement, la frappait à intervalles réguliers ; mais ce système a été démonté depuis longtemps et paraît en très mauvais état.

— On va remettre la cloche à sa place là-haut, déclare François. Ouf ! Qu'est-ce qu'elle est lourde ! Aidez-moi à la porter !

Les deux frères réussissent à grimper l'escalier avec la cloche entre eux et à l'amener dans la cuisine. Pilou prend le marteau, François et Mick tiennent la cloche en l'air, par son anse.

— Pilou, frappe dessus avec le marteau, ordonne l'aîné du groupe. On va voir si elle sonne bien !

Pilou tape de toutes ses forces...

DONG !

Un bruit formidable emplit la pièce. Dagobert et Berlingot, épouvantés, s'enfuient, dévalent l'escalier aussi vite qu'ils peuvent et tombent finalement l'un sur l'autre. Annie et Pilou se bouchent les oreilles. Comme le son se prolonge, Claude met sa main sur la cloche. Le silence se rétablit.

— C'est une excellente cloche ! approuve François admiratif. Il y a une date gravée dessus, regardez : 1896 ! Si on réussit à la remettre en place, on sera sauvés, car les gens du village ne manqueront pas de l'entendre.

— À quoi elle servait ? questionne Annie.

— À avertir les navires du danger, explique Pilou.

Il lève de nouveau le marteau, mais l'aîné du groupe l'arrête.

— Non, ça suffit. Tu n'as pas vu à quel point Berlingot et Dagobert ont eu peur ? Si on recommence, ils se jetteront par la fenêtre et ils se tueront !

— Il faut attendre que le vent se calme pour ten-

173

ter d'accrocher la cloche, analyse Mick. Ce serait trop dangereux en ce moment.

— Exact, affirme Claude. Si on allait voir comment fonctionne la lanterne ? Tu sais s'il reste du pétrole dedans, Pilou ?

— Je crois. En tout cas, il y a des bidons en réserve.

Ils montent tout en haut du phare ; Pilou explique à ses amis comment fonctionne l'énorme lampe.

— Elle tournait et, comme il y avait des panneaux tous les mètres, la lumière paraissait s'allumer et s'éteindre, vue de la mer. Il paraît que les navires remarquent mieux les signaux qui clignotent que ceux qui sont fixes, apparemment.

Les panneaux sont inutilisables. La lampe contient encore du pétrole, mais les enfants trouvent préférable d'en ajouter. Quant à la mèche, elle semble en parfait état. S'ils parviennent à allumer la lampe et à la faire fonctionner un certain temps, quelqu'un au village apercevra forcément sa clarté !

François prend une boîte d'allumettes dans la cuisine, en fait craquer une, et l'approche de la mèche. Le pétrole s'embrase lentement, puis la flamme grandit et, bientôt, une lumière aveuglante oblige les jeunes vacanciers à fermer les yeux...

C'est vraiment une lampe très puissante ! Mick se met à danser de joie :

— On a réussi ! Le vieux phare va briller encore une fois cette nuit !

— On dirait que la tempête se calme, fait remarquer François. Si on en profitait pour mettre la cloche en place ?

Les deux frères dévalent joyeusement l'escalier et remontent la fameuse cloche de la cuisine. François ouvre prudemment la porte qui donne sur la galerie extérieure. En effet, le vent semble être tombé. L'air reste des plus vifs, pourtant. Ensemble, les enfants hissent la cloche et l'accrochent à son support. Pilou attrape le marteau, mais à ce moment-là, un violent coup de vent l'envoie contre la balustrade, où il se cramponne désespérément. Un peu plus, et il passait par-dessus bord !

Mick lui tend la main et, avec l'aide de Claude, le tire à l'intérieur. Ils se regardent, pâles d'émotion.

— Je l'ai échappé belle... murmure le garçon.

— Il vaut mieux compter uniquement sur la lumière du phare, dit Annie.

— Allons boire quelque chose de chaud pour nous remettre, propose François.

Pilou accepte volontiers. Il descend l'escalier, les genoux tremblants. Que d'émotions, dans cette journée !

Tout le monde se réconforte en buvant du thé et en mangeant des biscuits.

Quand la nuit tombe, une belle lumière jaune, partant du phare, perce les ténèbres. Et, dominant le mugissement de la mer, le son grave d'une cloche retentit soudain : François, tenu par Mick et Claude,

175

frappe, avec le marteau, la cloche pendue près de la lanterne.

DONG ! Quelqu'un entend-il l'appel au secours du Club des Cinq par cette nuit de tempête ? Quelqu'un voit-il briller la lumière du vieux phare, depuis longtemps désaffecté ?

chapitre 22

La fin de l'aventure

Cette nuit-là, au village, la plupart des gens ont tiré leurs rideaux et allumé un feu dans la cheminée, pour passer une confortable soirée dans de bons fauteuils. Ils sont bien contents de ne pas être dehors par une telle tempête.

Yann fume tranquillement en songeant aux beaux voyages de sa jeunesse, quand il entend un son qui lui fait lâcher sa pipe. Il écoute, abasourdi...

— Non, ce n'est pas possible, je dois me tromper ! Et pourtant, c'est bien la vieille cloche ! Celle que je n'ai pas entendue depuis quarante ans !

DONG ! DONG !

Yann se dirige vers la fenêtre dont il écarte les rideaux. Il regarde du côté de la mer, et ne peut en croire ses yeux !

177

— Jeanne ! crie-t-il. Viens voir ! Le phare est allumé ! Jeanne ! Où es-tu ?

— Quoi ? demande sa fille, une petite femme rondelette, en accourant.

— Regarde, Jeanne, est-ce que je suis fou ? Ou est-ce que c'est bien l'ancien phare qui éclaire ?

— Je vois une grande lumière sur la mer... Tu crois qu'elle vient du vieux phare ? Pourtant, il est désaffecté depuis longtemps. Moi, je ne l'ai jamais vu briller ! On dirait qu'il y a une cloche qui sonne au loin.

— C'est la cloche du phare ! constate son père. Je la reconnaîtrais entre mille ! Autrefois, elle résonnait souvent pour avertir les bateaux du danger ! Je n'y comprends rien. Il y a tant d'années qu'elle n'est plus en haut du phare, et que la lanterne ne marche plus... Que se passe-t-il ?

— Je ne sais pas, répond la jeune femme, effrayée. Pourtant, il n'y a personne là-bas !

Le vieux Yann tape du poing sur le rebord de la fenêtre, ce qui fait tomber un pot de fleurs, et s'écrie :

— Mais si ! Il y a du monde dans le phare ! Trois garçons et deux filles, plus un singe et un chien !

— Que font-ils dans un endroit pareil, les pauvres ? questionne Jeanne, apitoyée.

Puis elle ajoute, après quelques instants de réflexion :

— Alors, ce sont eux qui ont allumé la lanterne et qui sonnent la cloche... Par moments, le bruit de la mer couvre tout... Mais maintenant le son est très net. Tout le village va l'entendre !

Elle dit vrai. Tout le village l'entend, y compris Guillaume et Mathias. Quand ceux-ci voient la lueur du phare, ils restent bouche bée. Bientôt, des gens passent devant leur maison, et ils reconnaissent la voix du vieux Yann Le Briz qui crie :

— Il y a des enfants dans le phare ! S'ils ont allumé la lanterne et s'ils font résonner la cloche, c'est pour attirer l'attention. Il a dû leur arriver quelque chose. Ils ont besoin de secours !

Guillaume et Mathias savent parfaitement ce qui ne va pas. Les enfants sont enfermés dans le phare et ne peuvent pas sortir ! Maintenant tout le village est alerté, et un bateau ira certainement voir ce qui se passe là-bas, malgré le mauvais temps ! Les deux hommes jugent prudent de disparaître. Ils s'enfuient dans le vent, sous la pluie, avec un maigre balluchon...

Dès que le jour se lève, des villageois accourent sur la plage, prêts à tenter la traversée, pour secourir les enfants en danger. Le vent soulève encore de grosses vagues qui s'écrasent avec fracas sur les rochers du cap des Tempêtes.

Bientôt, le brigadier, Yann, le médecin du village et deux solides marins embarquent. Leur bateau vacille sur les vagues de façon inquiétante, et les gens qui les observent de la plage craignent un moment de les voir disparaître. Mais, après

179

une courte lutte contre les flots, ils parviennent au phare.

Quand les enfants entendent frapper à la porte du phare, ils dévalent joyeusement l'escalier.

— Vous pouvez enfoncer la porte ? crie François. Mathias ou Guillaume nous ont enfermés et ont emporté la clé. On ne peut pas sortir, et on n'a plus de provisions !

— Bon. Reculez, les enfants. Allez-y, les gars ! ordonne Yann aux deux marins.

La serrure saute bientôt sous les coups d'épaule répétés des hommes, et la porte s'ouvre toute grande ! Le vieux Yann et le brigadier se précipitent à l'intérieur.

Dagobert se met à aboyer, tandis que Berlingot, effrayé par cette bruyante invasion, se sauve dans l'escalier.

Quelques minutes plus tard, tout le monde est réuni autour de la table de la cuisine. François raconte leur histoire, tandis que Mick prépare du café – il en reste juste assez ! Yann écoute, les yeux ronds ; le brigadier prend gravement des notes sur son carnet. Quant au docteur, satisfait de voir que tout le monde se porte à merveille, il boit paisiblement sa boisson, et s'amuse de l'étonnant récit.

— Comme on ne savait pas comment sortir d'ici, explique François à la fin de son récit, on a décidé d'allumer la lanterne, et de remettre à sa place la cloche, pour attirer l'attention des gens du village.

Pour tenir sur la galerie, là-haut, il a fallu qu'on se tienne tous les uns les autres. Quand j'ai été fatigué de taper sur la cloche, mon frère a pris ma place, et il a continué tant qu'il a pu. Puis Claude, puis Pilou. On était gelés ! La lanterne s'est éteinte aux premières heures de la matinée.

— Ça m'a rajeuni d'entendre cette cloche et de voir briller notre phare ! s'écrie le vieux Yann, qui, effectivement, paraît tout guilleret.

— On va arrêter Guillaume et Mathias, assure le brigadier en refermant son carnet. S'ils ne sont pas chez eux, on lancera un avis de recherche. Ils ne nous échapperont pas ! Quant à vous, mes enfants, je vous conseille de rentrer chez vous au plus tôt. Il n'y a rien qui vous retienne ici, n'est-ce pas ?

— Si, brigadier, réplique Mick, il y a quelque chose. Monsieur Le Briz, nous avons une grande nouvelle à vous annoncer : nous avons trouvé le trésor dont vous nous avez parlé !

Yann reste muet de stupeur. Claude prend quelques pièces d'or dans sa poche et les lui tend.

— On sait où il y en a des tas... Elles se trouvent dans un passage creusé dans le roc sous la mer. On ne peut pas partir d'ici avant d'avoir remis ce trésor entre les mains de la gendarmerie.

— Oh ! fait le brigadier en contemplant les pièces d'or d'un air éberlué. S'il s'agit bien d'un trésor, vous aurez le droit d'en garder la moitié, c'est la loi ! Où donc est-il ? Je vais aller le chercher tout de suite...

— Alors, il faut descendre dans les fondations du phare par le puits. Quand vous serez tout en bas, vous ramperez dans une étroite cavité qui vous conduira à une galerie... Mais attention ! Ne vous laissez pas surprendre par la marée, sinon vous seriez noyé !

Le brigadier cesse d'inscrire les indications et regarde les jeunes aventuriers d'un air perplexe. Se moquent-ils de lui ? Mick se met à rire :

— On ira avec vous, et on vous remettra le trésor. En fait, on n'est pas obligés de passer par le puits de fondation ; il y a un autre chemin : celui que vous nous avez montré, monsieur Le Briz. On ira ce matin même, et ensuite, on rentrera chez nous.

— C'est d'accord, accepte le gendarme.

— Je suis contente que cette aventure soit terminée, avoue Annie. Je commençais à en avoir assez ! Oh ! Monsieur le brigadier, Berlingot vous a volé votre sifflet !

Non seulement le singe s'est emparé du sifflet, mais il veut l'utiliser. Un son strident fait sursauter le vieux Yann qui rêve au trésor, et qui se venge en allongeant une taloche à Berlingot.

Le brigadier décide de faire deux voyages pour ramener à terre le Club des Cinq, Pilou et Berlingot.

Claude et Mick restent sur place pour faire les sacs, en compagnie de Dagobert. Les autres partent avec Yann, le docteur, le brigadier et les deux

182

marins, qui rament vigoureusement jusqu'au rivage. Berlingot s'accroche désespérément au cou de son maître pendant la traversée.

Quand ils sont sur la terre ferme, le docteur et Yann serrent la main des trois enfants.

— Au revoir, monsieur Le Briz, dit François. On a eu de la chance de vous rencontrer. Merci d'être venu à notre secours. On viendra vous rendre visite bientôt.

— Je serai bien content de vous voir, assure le vieux Yann, ému.

Sur la plage, une foule rassemblée attend avec anxiété. Beaucoup de personnes âgées ont été bouleversées en voyant briller le phare et en entendant la cloche de leur jeunesse. Chacun s'inquiète pour les jeunes vacanciers isolés dans ce lieu étrange.

Le brigadier doit se frayer un chemin parmi les villageois.

— Laissez-nous passer, s'il vous plaît, demande-t-il. Les enfants étaient enfermés dans le phare et ne pouvaient pas en sortir. Maintenant, tout va bien, ne vous inquiétez pas !

— Oui, tout va bien maintenant, murmure Pilou. Quelle aventure je viens de vivre avec les Cinq !

— Quand même, si on n'avait pas eu ta boussole, qu'est-ce qu'on serait devenus ? ajoute l'aîné du groupe.

— Bonne question ! dit Mick, qui arrive avec sa cousine. Il faut reconnaître que cette boussole

183

nous a rendu un grand service. Ah ! J'ai hâte de me retrouver au calme, à la *Villa des Mouettes*...

— Au calme ? Tu oublies que le professeur Lagarde sera encore là, avec papa, fait remarquer Claude. Je me demande s'ils seront contents de nous voir revenir…

Oh ! oui, Claude, ils le seront ! Surtout lorsqu'ils entendront le récit d'une telle aventure ! Et ils s'amuseront de te voir sortir de tes poches quelques pièces d'or provenant du trésor recherché depuis si longtemps !

À bientôt, Club des Cinq !

Quel nouveau mystère le Club des Cinq devra-t-il résoudre ?

Pour le savoir, regarde vite la page suivante !

● ● ● ● ● ● ● ● ● ● ● ● ● ●

Claude, Dagobert et les autres sont prêts à mener l'enquête

Dans le 20e tome de la série le Club des Cinq,

Le Club des Cinq et le vieux puits

Piégés ! Un moment d'inattention et voilà les membres du Club des Cinq prisonniers de l'île aux Quatre-Vents, un lieu lugubre et surtout... dangereux ! Qui a tiré sur Dagobert ? Et que mijotent ces inconnus qui montent la garde autour du vieux puits ? Les Cinq sont sûrs d'une seule chose : s'ils veulent rester en vie, ils devront percer le secret de l'île interdite et de son mystérieux puits...

Les as-tu tous lus ?

1. *Le Club des Cinq et le trésor de l'île*

2. *Le Club des Cinq et le passage secret*

3. *Le Club des Cinq contre-attaque*

4. *Le Club des Cinq en vacances*

5. *Le Club des Cinq en péril*

6. *Le Club des Cinq et le cirque de l'Étoile*

7. *Le Club des Cinq en randonnée*

8. *Le Club des Cinq pris au piège*

9. *Le Club des Cinq aux sports d'hiver*

10. Le Club des Cinq
va camper

11. Le Club des Cinq
au bord de la mer

12. Le Club des Cinq
et le château de Mauclerc

13. Le Club des Cinq
joue et gagne

14. La locomotive
du Club des Cinq

15. Enlèvement
au Club des Cinq

16. Le Club des Cinq
et la maison hantée

17. Le Club des Cinq
et les papillons

18. Le Club des Cinq
et le coffre aux merveilles

Suis
le Club des Cinq
dans chacune de ses
aventures !

Table

189

Composition MCP - *Groupe JOUVE* - 45770 Saran
N° 379398N

Imprimé en France par Jean Lamour – Groupe Qualibris
Dépôt légal : Août 2009
20.20.1748.1/01 - ISBN 978-2-01-201748-1

Loi n° 49-956 du 16 juillet 1949
sur les publications destinées à la jeunesse.